U0142573

經典閱讀

108課綱，最佳「經典閱讀」給養閱讀讀本～

讀書趣

21篇歷代經典好文，
打造主題式閱讀素養不漏接

陳茂仁——著

總 序

　　「經典」這兩字，據古文字的字形得知，「經」就是織布機上的縱絲，也就是「直」的絲線，既然是「直」，那就「不歪」，因此引申就有「正」的意思，既然是「正」，那就「不斜」，因此再引申後，「模範」、「法則」的概念就出現了；「典」，就古文字形所顯示，是竹簡（書籍）放在丌（桌子）上。所以所謂的「經典」，大可以這麼說，就是所記載的內容能作為讀者模範、效法的書籍，也可以說是指內容正道的書，而這裡所謂的「正道」，必然是經得起時間與空間歷時跨域的磨練而不被淘汰，並且具有至高至大的原理原則，因此這「經典」本具的「正道」，便須具有普遍性的價值而不遠離人群，也須具有特殊性的內涵而不難以企及，必是要能激起閱聽人的共鳴，且此共鳴不因時代的更迭，也不因身份的尊卑而有所差別，因此經典所論及的，是普世的基本原則，也是所有身而為人所應遵循的大道，如此便能成就個人，並且對國家社會溫和向上的提升，具有難以言喻的力量。

十二年國語文課綱裡便提到「經典學習」，而此部份的基本理念，明確的指明國語文學習包括「語文能力的培育、文學素質的涵養、文化教育的薰陶，培養表情達意、解決問題的能力，冀能陶冶性情、啓發心智，加強自主行動、溝通互動與社會參與的核心素養，奠定適性發展、終身學習的基礎。因此力求學子們能理解本國語言文字，增進聽、說、讀、寫的能力，同時也希望經由閱讀、欣賞各類文本，激發創意，開拓生活視野，健全人我關係，培養優美情操，關懷生命意義。」可令人遺憾的是近來由於3C科技的快速發展，聲光的刺激已深深根植於多數人的腦海中，小自手拿得起平板的嬰幼兒，大至識字的老人，幾乎人手一機，而這一機似乎已成生命靈魂的鷹架，有的甚至已養成分秒難離的黏附習慣。就因如此的習性，致使要靜心閱覽靜態的書本，便成為偌大的折磨與挑戰，也因日益缺少書本的閱讀及思辨，以至理解本國語言文字，乃至聽、說、讀、寫成為一種困難，而人與人之間，也因聲光刺激及缺少靜心的閱讀修養而難以溝通，因此層出不窮的負面新聞，充斥了許多媒體版面，形成了社會上一種難以扭轉的困境。

　　雖然社會型態的變化，促使了多數人生活的改變，但也不是無

法挽回，「路隨山轉則通」，既然知道目前閱讀的困境，同時若個人有心想要在浩瀚無垠的書海中檢選優質的文本來閱讀，也實在是心有餘而力未逮，因此五南出版社的黃惠娟總編，便有改變既有書本內容及形式的構想，藉由改寫書本既有的內容，再附上作者簡介及原典以資對照，又從原文中摘錄文詞進一步解說，同時一改白紙黑字的呆板印刷形式，而採用劇場形式的精簡漫畫，最後再附以小故事大道理，通盤論述本篇故事之精髓，以作為讀者心靈的給養，因此而有了《經典閱讀10分鐘》的系列書籍面世，這系列書籍主要立基於身而為人所面臨的種種情況，諸如：「讀書」、「孝悌」、「敬師」、「朋友」、「倫理」、「思辨」、「男女」……，期望由各主題的建制，而組構成一部歷時的文學版塊拼圖，因此邀請國內學者專家就所選主題，由傳世經典中檢選優質文章，進行生動的改寫與道理的傳顯。不僅如此，本系列書籍內容更對應「國小國語文領域」、「國中閱讀素養」、「高中人文經典閱讀會考」、「大學經典閱讀」等核心素養及通識課程地圖，因此於求學時閱讀廣度的拓展，及求學外精神能量的補給，在在提供了十足的力道。

　　就因本系列書籍身負此重責大任，所以在閱讀上便不能太耗費

時間，因此訴求每篇文章的長度，只須利用下課，或者等車、搭車等零碎時間即可輕鬆閱覽，藉由這《經典閱讀十分鐘》，只要十分鐘，便可從中汲取前人歷史、生活、智識的精粹；只要十分鐘，就可閱讀到人文經典，為生命、智識作一愉悅而循序漸進的給養。

陳茂仁

謹序於可園 2019.06.27

序

　　有關讀書學習，「孫敬髮懸樑」、「蘇秦股錐刺」、「匡衡偷鄰光」、「車胤囊螢學」、「孫康映雪讀」……想必是大家耳熟能詳的故事，因此一個人想要成功立世，就得刻苦憤發向學。但除了向文獻所記載歷代前賢的精思睿智學習之外，多方遊歷以及閱覽人、事、地、物，也是增廣見聞、加深才學及通達世故的重要方式，所以曹雪芹有「世事洞明皆學問，人情練達即文章」的心得結晶，說明學問不單單只是讀書，懂得人情世故，明瞭世事演變的道理，這些也是人生學習的重點。

　　孔子的「三人行，必有我師焉，擇其善者而從之；其不善者而改之。」更是教導我們學習是無所不在的，看到好的行為，我們就向他學習；看到不好的舉措，我們就反省、提點自己不要犯了和他相同的作為。所以不論是好或壞，只要心態正確，我們都可以從中得到提升自己的養份。

　　關於學習，莊子雖然有「吾生也有涯，其知也無涯，以有涯

隨無涯，殆矣！」要人們不要用有限的生命去追求無涯際學問的想法，這固然有他個人的道家想法，但人生在世，總不能無為虛度，因此陶淵明說：「盛年不重來，一日難再晨，及時當勉勵，歲月不待人。」所以「士不可不弘毅」，必須及早發憤，利用有限的生命，好用來追求最大的學問，只要持之以恆，總有「繩鋸木斷，水滴石穿」的一天，如此也才不會有顏真卿所說的「黑髮不知勤學早，白首方悔讀書遲」的悔恨。而唐代的杜荀鶴更以「少年辛苦終身事，莫向光陰惰寸功。」期許年輕人努力，不要輕易怠惰荒廢寶貴的時光。

　　宋陸游在寫給兒子的詩中提到「紙上得來終覺淺，絕知此事要躬行。」更是提點自己的兒子不要死讀書。從書本上學到的知識始終是淺薄的，要真正理解書中的深刻道理，一定要親身踐行，通過親身體驗才能明白道理，也才能學有所成。這也就是俗語所說的「讀萬卷書，不如行萬里路。」讀萬卷書雖可以涵養心性，變化氣質，但行萬里路則可以印證書本所學，同時也可以增廣見聞，涵養寬闊的胸襟。

　　有感於學習不只是求得書本知識，更是要修心養性、陶冶品

德，以提升全面的自我，因此本書所選篇章，不僅僅是書本上粗淺的學問，更多的是為人處世、練達世故的故事，希望藉由多元廣博的學習，以使自己往「全人」的方向發展。不論現在的年齡如何，只要多方學習、多方觀察、多方深思、多方遊歷，那麼在未來的立身處世上，當會有朱熹〈觀書有感〉所提「問渠那得清如許？為有源頭活水來」的自信與喜悅。

陳黙

謹誌於可園 2019.02.20

目錄

總序 —— (2)

序 —— (6)

01 察言觀色是門大學問 —— 001
西漢・劉向《說苑》卷十三

02 尺有所短，寸有所長 —— 011
春秋・管子《管子・小問》

03 不求回報的意外收穫 —— 023
春秋・《左傳・宣公二年》

04 懂得機會教育的晏子 —— 035
春秋・晏嬰《晏子春秋・內篇諫下》

05 值得學習的公正心胸 —— 045
西漢・劉向《新序・雜事一》

06 謙虛受教的晉平公 —— 055
西漢・劉向《說苑・建本》

07 死也要正直的黔婁妻 —— 063
西漢・劉向《列女傳・魯黔婁妻》

08 不可以貌取人 —— 075
秦・孔鮒《孔叢子・對魏王》

09 學習一技之長 —— 085
西漢・劉安《淮南子・道應訓》卷十二

10 以舊有為新創基礎 —— 095
晉・葛洪《西京雜記》卷二

11 苦學致知的賈逵 —— 105
西漢・王嘉《拾遺記》卷六

12 知其然也要知其所以然 —— 117
東漢・應劭《風俗通義》卷九

13 知不足才能力爭上游 —— 127
東晉・常璩《華陽國志》卷十中

14 士別三日・刮目相看 —— 137
北宋・司馬光〈孫權勸學〉

15 有過則改的許允 —— 147
東晉・郭澄之《郭子》

16 精實學習的曹元理 —— 157
晉・葛洪《西京雜記》卷四

17 善於引導的樂羊子妻 —— 165
南北朝・范曄《後漢書・列女傳》（節選）

18 預設破鏡求重圓 —— 175
唐・孟棨《本事詩》

19 不知好過胡扯 —— 185
隋・侯白《啟顏錄》

20 百萬琴砸天下知 —— 193
唐・李亢《獨異志》

21 臺上一分鐘・臺下十年功 —— 203
清・紀昀〈獵戶殺虎〉

1

察言觀色是門大學問

春秋時代的齊桓公和宰相管仲，有一次在大堂上私議，準備討伐尚未臣服的一個小國家——莒國，誰知兩人私下的謀議還沒行動，即將攻打莒國的計劃卻已在全國上下傳得沸沸揚揚了。桓公對此感到非常奇怪，這事只有他和宰相知情，而兩人對此是三緘其口，不知國人是從那裡得到這消息，於是便召來管仲一問究竟。管仲也正為這事納悶，待國君問起，管仲便憑直覺說：「主上！我們國內一定有不世出的聖人！」其實在此之前，齊桓公也大概知道可能是哪個環節出錯，只是還不確定，在聽了管仲的話後，齊桓公深吸一口氣，感慨地說：「哎！那天我們在私議的時候，在服勞役的人群中，有一個拿著柘杵[1]向上看的，我懷疑可能就是那個人把消息洩露出去的！」於是桓公下令再召集當天那群人過來服勞役，且明令不得私下互相替代。

過了一會兒，服勞役中一個叫東郭垂的人來了。管仲一見東郭垂端正嚴謹的相貌以及身上所散發的過人氣韻，便不假思索地跟桓公說：「洩露消息的，肯定是這個人！」於是命令儐者引領他進

---

[1] 柘杵：柘木做的杵。

來，依照身份高低，按等級站著等候問話。

　　管仲端詳了東郭垂一會兒，問說：「說我們要去攻打莒國的人是你吧？」其實東郭垂在來之前也早已預知可能會發生的事情，所以當管仲一問，他倒也毫不隱諱地回答道：「沒錯！是我說的。」管仲又接著問說：「我們並沒有說要討伐莒國啊，你為什麼要散佈這樣的消息呢？」這時東郭垂整了整衣飾，拱手答道：「我聽說君子善於謀劃議事，而小人則善於揣測。攻打莒國的事，是我私自揣測來的。」聽到這，管仲又感到十足的疑惑，說：「當天我並沒有說要伐莒啊！你是如何揣測的呢？」東郭垂回答說：「我曾聽說有修為的君子，臉上常見三種臉色：第一種是當遇到可喜可樂的事時，表現出的是敲鐘擊鼓奏樂時的臉色；第二種是遇到哀愁靜默的事時，表現出的是家有喪事的臉色；第三種是遇到令人忿怒，而臉上也表現盛怒的表情時，那是即將要用兵的臉色。那天我遙望主君在台上，臉上正是帶著盛怒的表情，這說明是將要用兵的臉色。而當時主君只是噘嘴發氣而不出聲，所表現的口型正是在說『莒』這個字，同在此時，主君舉起手臂，強有力地指向莒國的方向。綜合以上種種跡象，我再私下思慮，在眾多的小諸

侯中，尚未降服於我們齊國的，就只有莒國，所以我才肯定地知道，我們即將要攻打莒國了。」話才說完，桓公與管仲都深深嘆服東郭垂觀察與分辨的能力。

當時的君子就曾評論說：「一般來說，耳朵之所以有所聽聞，是因為有聲音的緣故。但現在沒聽到聲音，而僅僅憑著臉色和手臂就知道事情的真相，這是東郭垂真正的本事啊！桓公和管仲雖然善於謀劃，卻無法隱瞞聖人聽聞於無聲的情況，況且他能看見於無形之際，東郭垂實在是厲害啊！也因如此，所以桓公就賜給他俸祿，並且非常地禮敬他。」

劉向《說苑》卷十三

　　齊桓公與管仲謀伐莒，謀未發而聞於國。桓公怪之，以問管仲。管仲曰：「國必有聖人也。」桓公歎曰：「嘻！日之役者，有執柘杵而上視者，意其是邪！」乃令復役，無得相代。少焉，東郭垂至。管仲曰：「此必是也。」乃令儐者延而進之，分級而立。管仲曰：「子言伐莒者也？」對曰：「然。」管仲曰：「我不言伐莒，子何故言伐莒？」對曰：「臣聞君子善謀，小人善意，臣竊意之也。」管仲曰：「我不言伐莒，子何以意之？」對曰：「臣聞君子有三色：優然喜樂者，鐘鼓之色；愀然清淨者，縗絰之色；勃然充滿者，

此兵革之色也。日者，臣望君之在臺上也，勃然充滿，此兵革之色也，君呼而不吟，所言者莒也，君舉臂而指，所當者莒也。臣竊慮小諸侯之未服者，其惟莒乎？臣故言之。」君子曰：「凡耳之聞，以聲也。今不聞其聲而以其容與臂，是東郭垂不以耳聽而聞也。桓公、管仲雖善謀，不能隱聖人之聽於無聲，視於無形，東郭垂有之矣。故桓公乃尊祿而禮之。」

作者簡介

　　劉向（西元前77年～前6年），字子政，本名更生，世居長安，祖籍沛郡（今江蘇徐州）。劉向是漢高祖弟楚元王劉交的第四代孫，劉向博覽群書，精通天文星象，同時也是西漢知名文學家兼目錄學家劉歆的父親。劉向在漢元帝時官任中壘校尉，後來因為權臣專政，不幸被廢。而到了漢成帝時，才改名為向，官任光祿大夫，校閱經傳諸子詩賦等書籍，寫了《別錄》這一本書，是我國最早的圖書分類目錄。另外著有《新序》、《說苑》、《列女傳》、《洪範五行》等書，並且編訂了《戰國策》、《楚辭》、《孫卿新書》等。

主君決定要攻打莒國了嗎？

對，加緊完善戰略，不要聲張。

不是要打仗了？怎麼沒有公告？

是啊！聽說要攻打莒國！

近日有傳聞說要攻打莒國。

此事我只與宰相說過啊？

你有什麼看法？

我想國內必有智者。

嗯！我心裡也有底了。

說我們要攻打莒國的就是你吧？

你為何會這麼說？

是。

君子善於謀劃，臣下則善於察言觀色。

那天我看到主君表情憤怒，舉手指向莒國方向，嘴型也正是在說「莒」。

加上最近莒國不安分，因此猜測我們是要打仗了。

只靠這樣就能猜到真相，先生的分析能力真是令人佩服啊！

〔察言觀色是門大學問〕

文詞客棧

分級而立：古代國君與人臣在正式場合，依官位的大小以及職別高低而有不同的站位。而古代在喪禮弔唁時，前來弔唁的人，也是依照他和死者的親疏關係，而有不同的站立位置以及不同的表現哀情方式。

小故事大道理

　　察言觀色可以預測某人過去曾做過或者是現在正在進行，以及未來即將發生的事，只要多學、多聽、多看、多思考便能達到這樣的能力，學習也是如此，對於社會、國家、國際局勢也是這般。依照現有的才學作為推論的基礎，先備知識越深厚，所推求的答案也就越正確，離成功也就越近，所以有人能預知未來發展趨勢，這是依憑自己本質學能對過去及現況的觀察分析，能做到這點的人也就較能成功。

　　古代斷案的方法，有所謂的五聽，即「辭聽」、「色聽」、「氣聽」、「耳聽」及「目聽」。這是中國古代官吏在審理案件時觀察當事人心理活動的五種方法，而這「五聽」制度在我國起源很早，根據《尚書‧呂刑》記載：「聽獄之兩辭」，「兩造具

備，師聽五辭，五辭簡孚，正於五刑。」大意是說當時的官吏「斷獄息訟」時，在原告和被告雙方都到齊後，應當認真聽取訴訟雙方的陳述，通過察看「五辭」的方法，再據以審度各自的陳述是否可信，最後再據以做出判斷，並進行定罪量刑。這五聽最早見於《周禮・秋官・小司寇》，根據鄭玄的解釋，辭聽是「觀其出言，不直則煩」；色聽是「察其顏色，不直則赧」；氣聽是「觀其氣息，不直則喘」；耳聽是「觀其聆聽，不直則惑」；目聽是「觀其眸子視，不直則眊然」。簡單來說，就是官吏在審理案件時，應當注意當事人的說詞是否有理，陳述時的神情是否從容不迫，氣息是否平和，精神是否不集中，眼睛是否閃爍而不敢直視官吏，最後再據此綜合判斷當事人所說是否真實，從而對案件作出判斷。這可以說是中國古代對五聽制度的明確記載。此後各朝代大都以五聽做為審判的重要方法，因此在《唐六典》就規定：「凡察獄之官，先備五聽。」而現在我們常說的「察言觀色」就是五聽的遺存。

《韓非子・難三》也有一則「子產斷案」的故事，所靠的即是「耳聽」，事情的原委大概是這樣的：某一天，鄭國的宰相子產在

早晨出門，經過東匠閭時，聽見有一位婦女哭泣的聲音。子產便按住車夫的手，示意他停車，仔細聽了再聽。過了一會兒，子產便派官兵去把那位婦女抓來審問，終於確知她就是親手絞死自己丈夫的人。過了些日子，子產的車夫就問他說：「主子，您是根據什麼知道那婦女是兇手呢？」子產說：「她的哭聲中透顯著恐懼。一般說來，大家對於至親剛生病時會有憂愁，面臨死亡時會有恐懼，但如果是已經往生之後，則會有悲哀之情。然而這位婦人在哭她已死的丈夫，所表現出來的哭聲是恐懼而不是悲哀，就從這一點，我就知道她有隱情了。」從這故事，我們可以很清楚的知道，子產是運用「耳聽」來判斷是非，並找出了凶手。

本文中所提到的東郭垂，憑著觀看國君及管仲的表情、舉止動作，即可預知國家即將攻打莒國的可能，依靠的也是「五聽」的這些原理。現如今大人常說「囡仔有耳無嘴」，不也就是要小孩子多聽、多學、多觀察嗎？所以學習，不盡然只有從書本上獲得，其實各方各面都值得我們去深究、學習，如此也才能有所成長。

2

尺有所短，寸有所長

齊桓公二十八年（西元前685年），甯戚獲悉齊桓公重視人才，由於自己心懷抱負，於是便隻身奔向齊國，希望未來能有一番作為。而此時的齊桓公求賢若渴，更具慧眼識才，於是便派管仲徵求甯戚的意見。

　　管仲一到甯戚的下榻處，便直白地說：「甯先生，國君重視您的為人與長才，今日您來到了齊國，希望您能為齊國效力，對於這事，不知先生有什麼要求？」甯戚看了看管仲，伸了個懶腰，仰天拉長聲音喊道：「浩浩乎！」之後再也不說任何的話了。這麼個不明究理的「浩浩乎」，聽得管仲是丈二金剛摸不著頭緒，可看甯戚也不像是耍他的樣子，於是就先告辭離開，等著回覆桓公。可在回覆前，總也得先知道這「浩浩乎」究竟是啥意思呀！但這可難倒管仲了，一直到吃中飯時還在為甯戚的「浩浩乎」傷惱筋。

　　婢女一眼看出老爺管仲的憂思，便輕聲的問說：「老爺有什麼煩心事嗎？」婢女的話音一落，管仲立刻不悅的回說：「妳知道什麼？這不是妳一個婢女能懂得的！」有道是什麼人騎什麼馬，有什麼樣的主人也就有什麼樣的婢女，就是因有管仲這樣子能言且勇於進諫的老爺，所以也就有了帶點嬌性而不怕責罰的下屬。這婢女在

聽了老爺（管仲）的話後，便也不甘示弱地說：「老爺，您可不要小看年輕人，也不要賤視卑賤的人呀！有些事或許您聽說過，從前吳國與干國打仗，干國規定還沒汰換乳齒的少年不能進軍門參加作戰，國子這小孩知道這項規定後，為順利進入軍門參與作戰，便義氣地拔掉他的乳齒，最終為干國立下許多成年人都達不到的功績；而百里傒本來是秦國的牧牛人，身份雖然卑賤，但後來卻得到秦穆公的賞識，並提拔為宰相，就因百里傒的輔佐，才使秦國可以在短短幾年便稱霸諸侯。從這些例子來看，怎麼可以賤視地位卑賤的人，而又怎麼可以小看年紀輕的人呢？」說完，這婢女就擺出一副不服氣的樣貌來。

管仲聽後，自知理虧，便將心中的狐疑跟婢女說：「妳說的是！事情是這樣的，國君派我去徵求甯戚有關為齊國效力的意見，可甯戚卻只簡單的說了『浩浩乎』這幾個字，我實在不知道甯戚的意思啊！妳看！我現在不就正為這事困擾著嗎？」婢女一聽後，忍俊不住的竊笑起來，說道：「老爺！您糊塗呀！《詩經》裡頭不是有這樣一首：『浩浩然的大水唷，游著育育然的白魚呀；沒有室家，又怎麼來招我居住呢？』老爺啊！甯戚的意思，大概是想

要娶妻成家吧？」聽了婢女的解說，管仲一時豁然開朗，頻頻擊節道好，並高興的以漸次升高的音調說：「唉呀！眞有妳的！果然不能賤視地位低下的人啊！果然不能賤視地位低下的人啊！」

作者簡介

管仲（約西元前723年～西元前645年），姬姓，管氏，名夷吾，字仲，潁上（今安徽潁上）人，死後謚敬，是春秋時期法家的代表人物，也是我國古代著名的經濟學家、哲學家、政治家和軍事家。齊僖公三十三年（西元前698年），管仲開始輔助公子糾，直

漫畫經典

客官為何來到齊國？

聽說齊國重視人才，我來應徵看看。

甯戚先生您好，我代表主君來請您為齊國效力。

我們主上很敬重您的才能，不知先生如何能答應出仕？

浩浩乎！

〔尺有所短，寸有所長〕

015

老爺有什麼煩惱嗎？

妳一個小丫鬟，跟妳說妳也不懂。

今天我去面試一個人，他說他想要「浩浩乎」，我想不通。

老爺您可不要小看人，每個人有每個人的才能呀！

我記得《詩經》中說「浩浩的江水，孕育著無數的魚。」

魚以水為家，我想他大概也想成家吧？

沒錯！

果然尺有所短，寸有所長，不能小看任何人呀！

到公子糾即位（也就是齊桓公），便任用管仲做齊國宰相。管仲在任內大興改革，富國強兵，輔佐齊桓公成立霸業，不幸在齊桓公四十一年（西元前645年）病逝。

文詞客棧

毋少少，毋賤賤：「少少」，第一個「少」是動詞，在這裡作「看輕、瞧不起的意思」，第二個「少」是名詞，指年紀輕的人，所以「毋少少」是指不要看輕年紀小的人；「賤賤」，第一個「賤」是動詞，在這裡作「賤視的意思」，第二個「賤」是名詞，指地位低下的人，所以「毋賤賤」是指不要賤視地位低下的人。

未齔：「齔」，音ㄔㄣ丶，是指乳齒脫換為成人的牙齒。所以「未齔」是指未成年的意思。

摘其齒：「摘」，音ㄊㄧ丶，在這裡作動詞用，作挑取、挑出的意思。所以「摘其齒」是指拔掉牙齒的意思。

飯牛者：「飯」在這裡作動詞用，是指「拿東西給某某吃的意思」，所以「飯牛者」就是牧牛的人。

小故事大道理

在我們的眼裡，年紀輕就給人莽撞、才能低下的感覺；而地位卑賤的人，也給人只能服勞役而難以獻心計的謬思。其實這都是不正確的！古書記載項橐七歲為聖人（孔子）的老師，而顓頊十二歲就治理天下，所以年紀輕與可能的成就沒有必然關係。

而《新序》也記載了一般常見的燕子和難得一見的鴻鵠，比賽飛快的故事，一般而言，燕子個頭小，飛的速度遠遠比不上一拍翅膀就能飛千里遠的鴻鵠，但如果是在兩座屋子的屋簷下飛進飛出，這時燕子肯定技高一籌；而天下有名的利劍干將和莫邪，如果要和小草的草莖做任何的比賽，一般而論，也肯定是干將和莫邪會勝出，但如果是比賽要把吹入眼中的細砂給挑出來，請問你會使用草莖還是這兩把利劍？答案不問自明，肯定是選用草莖；最後，再如一般的老鼠，如果要和千里馬比賽跑，也肯定是千里馬贏，可是如果是比賽在炊煮飯菜的竈坑中跑進跑出，那無疑一定是老鼠厲害。由這三個例子，我們就可以很清楚的知道，平常客觀環境下屈居弱勢地位的，不盡然永遠都沒勝出的時候。

所以文中的管仲一開始就被婢女抗議說「公其毋少少，毋賤賤！」是的，不要看輕年紀小的人，也不要瞧不起地位卑賤的人。地位卑下的人，所懂得的事物，遠比富有尊貴的人多，孔子就曾說過：「吾少也賤，故多能鄙事。」就因地位卑下的人，常常要操持許多低賤的工作，所以也就有許多親身的體驗與觀察，看待事情也會遠比死讀書的文人來得強些。在我們現在的社會，不是有些「恐龍法官」嗎？這些人常被批評不食人間煙火，多的是死讀書而沒設身處地與實際體會生活所造成的。我們求學問不也是如此？學道有先後，術業有專攻，所以能夠力行「不恥下問」的人，就能獲得實質且廣博的學問哦！

　　在二十年前左右，我就犯了與管仲相同的錯，所以後來寫了一篇文章，內容是這樣的：

〈爸爸，你的筆！〉

　　有一句話說：「人不可貌相，海水不可斗量。」在鄉里也常聽說：「囝啊儂，有耳毋嘴。」除此，也有人說：「嘴上無毛，辦事不牢。」其實這觀念由來已久，遠在春秋時代的閭邱邛道遮齊宣王的車駕，惹得齊宣王一席「未有岅角驂駒，而能服重致遠者也」的

訓示，而齊桓公時候的管仲，也因甯戚的「浩浩乎」而輕視年少婢女的問話。凡此總總，在在說明我們人啊都有一種以貌取人，或者是輕視年紀小的毛病，想來這種毛病還是我們固有的悠久習性，著實一時難以改正，而我也就承襲老祖先這種「優良」的基因而不自知。

那是一個聚精會神、努力構思論文，而微風不經意的從木窗偷溜進來閒晃的清新午後，屋外的蟬叫聲雖然惹得太陽這老阿祖不太高興，讓它直漲紅著臉生氣，可這日據時期的矮屋，卻依舊保有它怡然自得的閒適與情趣，一絲乎都不受這老阿祖的影響。

在這宜人的日子，就在客廳的藤沙發上，我正尋思著論文的架構，好把它們一網打盡，然後得奏凱歌，大舉揚旗而歸。但就在一個不經意的轉筆，手上的鉛筆掉了，滑不溜丟地從椅墊而下，直接鑲嵌在椅背後的牆角縫中。話說這椅子可有般來歷，是經千年不老藤「粗」製而成，重，是一定的，當下的我也不準備與它較量，所以就伸手從可能撿到筆的任何一個細縫去撈筆，如此地上勾、下剔、左推、右挑，任我使盡百般方法，就是撈它不著，腦中尋思快好的論文架構，也就因此而支離破碎，隨著煙雲飄散而去，當下不

免一陣鬱結，直如千年便祕不解。

　　當時唸幼稚園大班的兒子，看我耍猴戲般地圍著藤椅轉，好奇的問明原因，當他得知我的難處後，信心十足的說：「爸爸，我幫你！」當下一聽，那便祕般的鬱結更加地緊實了，心中的煩躁大發：「不要吵我，我手這麼長都撿不到了，你手那麼短怎麼可以！去玩啦！」兒子不放棄，又用堅懇萬般的語氣說：「爸爸，我真的可以！」當下火山直快爆發，那鬱結緊實的出口就像要崩裂一樣，但受不住他的鍥而不捨，只好不悅地答道：「好吧！你撿！你撿給我看！」話音一斷，只見他順勢屈身趴就而下，像阿兵哥爬五百障礙的鐵絲網一般地鑽進椅下，雙腿一縮，匍伏前進，再用那細小的手指尖挑出夾縫中的鉛筆，緊握著筆然後再「倒退嚕」出來，前後短短不到十秒，看得我是目瞪口呆，差點流出口水來。原本快要爆發的火山，熄了；鬱結緊實的便祕樣，消了。待他退出，隨即敏捷地站起，昂起頭、拿高筆，臉泛微笑的說：「爸爸，你的筆！」當下一股慚愧，催逼著眼中的淚液直打轉，接下了筆，緊緊地抱著一臉自信的兒子，久久不能自己……。

　　微風依舊不經意的從木窗偷溜進來閒晃，屋外的蟬聲叫得更加

猛烈，而原本不大高興的這個老阿祖，似乎也安詳許多，這日據時期的老屋，依然保有一本的怡然閒適。

在這沁涼的午後，就在客廳的藤沙發上，我雖弄散了正在尋思著的論文架構，但我卻已興奮異常地敲奏凱歌，大舉揚旗，得勝而歸了！

3

不求回報的意外收穫

春秋時代，晉國有一個大夫官[1]，名叫趙盾（宣子），爲人謙和，頗得人心。

　　某一天他帶著隨從到首陽山去打獵，當天累了就在翳桑休息。就在休息喝水數著戰利品時，突然發現不遠處有一個形容枯槁、就像快要餓死的人，這個人名叫靈輒。趙盾在惻隱心與疑惑心交織下，起身趨前問說：「兄台到底發生什麼事？怎會病懨懨到如此地步呢？」靈輒拖著病體，勉強續上一口氣回答說：「我已經有好長一段時間沒有吃東西了，所以才變成現在這副模樣，讓您見笑了！」趙盾一聽，心中油然不捨，便取來酒肉飯菜，恭謹的遞給靈輒，請他享用。一時看靈輒如餓虎撲羊般狠啃著飯菜，僅一會功夫就吃完大半食物。可說也奇怪，送上的這些食物可能還不夠他吃，他卻留下一半不吃。這事看在趙盾眼中，又生起疑惑來，便再問說：「兄台，這飯菜不合味口？不然怎麼不吃完呢？我看以你現在飢餓的程度，這些食物恐怕都還不夠你填肚子呢？是不是那裡不舒服？又或者是……」趙盾話才說完，靈輒便恭謹有禮的回說：

---

[1]　大夫官：是中國古代的官名。

「恩人，您有所不知。在下當人家的奴僕已經有好多好多年了，這些年來一直都沒有時間回去探望母親，連現在母親是否還在世上都不清楚，我真是一個不孝子啊！」說著說著就低頭暗泣起來，趙盾只能溫暖地拍肩給他安慰安慰，待靈輒情緒舒緩了過來，又緊接著說：「現在這裡已經很接近我的家鄉，請您允許我把剩下的一半食物帶回去孝敬我的母親，可以嗎？」趙盾聽了靈輒的話，很是感動，就搭著他的肩，平和勤懇地以像是多年知交的口吻說：「你不用擔心你母親，你把剩下的食物都吃完，我再幫你準備些飯菜肉食給你帶回去孝敬令慈。」說著說著，就邊為他的母親準備了許多飯菜和肉類，並且恭謹的把食物放在圓形的竹籃子中，再把竹籃子放入袋子內，雙手把袋子交給了靈輒。靈輒收下食物，再與趙盾閒聊幾句後，便告辭離開，直奔家鄉而去。

之後，晉靈公為了排除異己，祕密招訓了一批殺手，湊巧靈輒也報名加入殺手的訓練行列，幾年後訓練完成，晉靈公便派他們去殺趙盾。為人忠厚的靈輒不知此行要殺的正是多年前提食救命的恩人，因此跟著一夥同伴誓死要執行國君的命令。可天底下就是有這等巧合事，在一行人到暗殺會場時，靈輒頓時發現要殺的竟

是自己的恩人，因此便護衛著恩人，與同伴廝殺，以一擋十的奮力抵抗同伴的進擊，在靈輒不顧性命安危而奮勇抵抗後，終於使得趙盾安全脫身而免於一死。這事讓趙盾著實丈二金剛摸不著頭緒，就問說：「你是要來殺我的，怎麼陣前倒戈，反而擊殺同伴來救我呢？」這時靈輒才緩緩地說：「恩人啊！我就是當年您在翳桑救助的那一位餓漢啊！」

原典

《左傳·宣公二年》

宣子田於首山，舍于翳桑，見靈輒餓，問其病。曰：「不食三日矣！」食之，舍其半。問之，曰：「宦三年矣，未知母之存否，今近焉，請以遺之。」使盡之，而為之簞食與肉，寘諸橐以與之。

既而與為公介，倒戟以御公徒而免之。問何故，對曰：「翳桑之餓人也。」

作者簡介

《左傳》，是一種編年體史書，是《春秋左氏傳》的簡稱，另外還有《左氏春秋》、《左氏》、《春秋內傳》等異稱，是儒家重

〔不求回報的意外收穫〕

你是個孝子。這些再給你拿回去吧，以後好好過活。

謝謝恩人！

數年後……

等等！不能殺他！

為什麼救我？

恩人啊……

您當年救了我，如今我終於能報恩了！

要的經典之一。

　　《左傳》的作者爭議頗大，舊傳說是春秋時代左丘明所寫，但又有戰國時人所作及劉歆偽造的說法。全書以記事為主，兼記言論，所記載的史事起於魯隱公元年（西元前722年），迄於魯哀公二十七年（西元前468年），共三十卷。是為解釋《春秋》而作，較《春秋》多出十三年。《春秋》微言大義，用字簡潔，《左傳》則據此蒐羅史料加以解釋，大多記載周王朝以及各諸侯國政治、軍事、外交等方面的活動與有關言論，是研究中國古代社會的重要歷史文獻。全書篇章結構完整，議論精闢，文字簡潔，對於戰爭事件的描寫以及外交辭令的敘述，尤具特色。是當今的史學名著，具有很高的文學價值，對後代敘事散文有較深遠的影響。

文詞客棧

見靈輒餓：在古代的文學作品中，只要用上「餓」這個字，就代表這個人已經快不行了，也就是再不及時吃點東西，可能就要昏死過去，甚至是往生了。而我們現在的語彙也還保留這層意思。譬如，我們現在有「飢餓」這個

詞，但在古代「飢」和「餓」是不同的。「飢」只是胃囊有一點不滿足，還不會死人，但「餓」可就不行了。如果哪天你回到家，肚子實在餓得受不了，當你看到媽媽，你絕對不會說：「媽，有什麼東西可吃，我快『飢』死了。」因為「飢」還不至於死人，但你一定會說：「媽，有什麼東西可吃，我快『餓』死了。」「餓」才能表示程度的嚴重性來。

問其病：在古代的文學作品中，只要用上「病」這個字，就代表這個人已經快不行了，也就是再不及時治療吃藥，可能就要離開人世了。而我們現在的語彙也還保留這層意思。同上面「飢」和「餓」的概念一樣，在我們現在有「疾病」這個詞。同樣的，「疾」和「病」在古代是兩個程度不同的概念。「疾」，一般是指受了還可拯救的風寒或身體的不適等等，但如果作品中用到「病」字，就代表非常嚴重了，可能就快離開人世了。所以在現代如果有朋友說某某人離開人世了，那麼通常會問「他是怎麼死的？」而通常會回答說「他是『病』死的」，而不會說「他是『疾』死的」，因為「疾」還不會死人，但「病」可就不同了。

　　「不食三日矣」，不是指有三天沒吃東西喔。在我們傳統的觀念中，「三」有時是指很多很多的意思，如「你要三思而後行」，是指你要思考很多次才去做的意思。而我們的文字只要是由三個相同的部件組構而成，通常

也都是表多數，如鑫：多金，錢很多的意思；淼：水勢廣大的樣子，也就是大洪水；焱：火華，指大火燃燒所飛起的火星。因此原典的「宦三年矣」中的「三年」，也是指很多年的意思喔。

小故事大道理

古今報恩的故事很多，最爲人熟知的莫過於古代韓信報答漂母濟食的故事。韓信年少時，家境清貧，雖然有才能但卻得不到別人的賞識，只能寄人籬下，因此受到人們的鄙視和辱罵。有一天他拖著饑餓的身子來到河邊，一個漂洗棉絮的婦人看他可憐，便把自己的糧食分給韓信吃。韓信後來被封爲楚王，特地找到當年漂洗棉絮的大娘，並送給她一千金（兩萬兩銀子），以報答當年的救助。

本篇故事中的趙盾（宣子）在翳桑看到不認識的靈輒，發現靈輒幾乎已餓得快昏死過去了，因此也不管眼前的這個餓漢究竟是好人或壞人，也不管他是否會回報這頓飯錢，趙盾以救人爲先，便爲他準備些飯菜，讓他享用，從這裡可看出趙盾的憐憫心與救人不求回報的俠義心腸。

靈輒在享用飯菜時，留下一半不吃，原來是想要把留下的一半

拿回去給多年未見的老母親吃，在這極度飢餓的情況下，都無暇自顧了，但他仍惦念著家鄉的老母親，可見他是一位難得的孝子；又在他加入殺手培訓的行列，等他學成，晉靈公派這一批殺手要去殺趙盾，當靈輒發現要殺的是當年捨食給他的恩人，於是陣前倒戈，抗禦原本同來的同伴，救了趙盾一命。由這裡可看出靈輒是一位知恩圖報的人，這種情況就像我們的俗諺語：「受人點滴，湧泉以報」的概念。

這個故事告訴我們，適時救助人而不求回饋，有時在不可知的未來會有很大的回報；同時在接受別人幫助後，在能力許可的情況下，我們也應想辦法回報恩人，能夠如此，那麼社會就會更加的祥和了。

而在近代，在台北有一家自助餐館，老闆發現每天有一位小孩到店裡就只買一碗飯，時間久了，老闆發現大概是這小孩家境不理想，於是就在小孩來買飯時，偷偷在白飯下放一顆滷蛋，但只收白飯的錢，這樣經過了好長一段時間後，小孩卻無聲息的消失了，興許是搬家了。

就在十多年後，老闆發現每天有一位西裝筆挺的先生來店裡就

只買兩樣東西，就是白飯與滷蛋。老闆基於客人的隱私，也不便詢問原因。後來因都市重劃，自助餐館也在徵收的地目中，老闆只能貼出告示，表明自幾月幾日因重劃的關係要結束營業。那位西裝筆挺的年輕人再來到店裡買飯時，看了這告示，回去便向老闆稟報，老闆要這職員明天再去買飯時，告訴自助餐老闆，說我們在某條路上的商業大樓一樓的店面還沒出租，只要他願意來開自助餐，房租不用、水電全免，賺的都是他的……。隔天，年輕人傳達了老闆的意思，自助餐老闆心裡覺得納悶，因此期望見面問清原因。待兩方見面後，自助餐老闆才恍然大悟，原來眼前的這位大老闆是當年來他店中只買白飯，而他偷偷放入一顆滷蛋的那位小孩啊！

　　以上這兩個故事，都在告訴我們「施恩不望報」的作為，但也都在深切地告訴我們，「受人點滴，湧泉以報」的概念。這故事雖說的是報恩，但學習不也是如此？只要多方努力，不預設可能的回饋，長此以往，先前的努力學習，在不可知的未來，肯定會有讓人有料想不到的收穫。

4 懂得機會教育的晏子

在某個天氣晴朗的早上，齊景公率領了大隊人馬，浩浩蕩蕩地到野外打獵去。才剛爬上山頭沒多久，就聽到一陣虎嘯，緊接著就在不遠的草叢中，蹦出一隻張牙咧嘴、氣勢兇猛的老虎來。此舉雖然激發起景公射殺老虎的鬥志來，但總覺得不吉祥，因為身為人世間的國君，卻遇到了陽獸之君（活在地面上最兇猛的動物），王見王總不是好事（王見王必有一傷），於是景公放棄在深山打獵，而改到沼澤地去。可當他們大隊人馬拖著疲憊的身子下山，才一到沼澤地，景公又看見了一條腿幹般粗的灰皮大蟒蛇，而牠就盤互在岩石縫隙間，朝著他們大夥呲牙吐信。這一景象，又讓齊景公深感不安，因為蛇是陰獸之君（活在地面下最兇猛的動物），這讓他又有王見王的不安感受來，就這樣，打獵的興致全沒了，於是大手一揮，說：「回朝！」便悻悻然地掉轉馬頭回宮去了。

一回到宮中，便急忙地把宰相晏子召來，說道：「今天寡人到野外打獵，到山上去，看見了老虎；到沼澤地，又看見了蟒蛇，這麼兩次的王見王，恐怕我們齊國有不祥的事要發生吧？」

晏子聽了景公的疑惑，表情嚴肅地拱手看著景公，便趁機來個

機會教育。晏子回答說：「主子啊！我確實聽說一個國家有三種不吉祥的事，但這三種不吉祥的事，不包括您說的看到老虎啊或看到蛇的。一個國家有三件不吉祥的事，第一件是國家有賢能的人才，而國君卻不知道；第二件是國君知道國內有賢能的人才，但卻不用他為官，來為國效力、為民服務；第三件是國君知道有賢能的人了，同時也用他為官了，但卻不賦予他權力，讓他發揮所能。國家的不吉祥事，說的就是像這樣的事情啊！至於今天您到山上去看見了老虎，山本來就是老虎的住處，您到老虎的住處去而看到老虎，這是很正常的事啊；而當您到沼澤地去看見了大蛇，沼澤地本來就是蛇的住處，而您到那裡去看到了蛇，這也是理所當然的事啊！這哪有什麼不吉祥的呢？」

聽了晏子這麼一番精闢的解說，景公頻頻點頭稱好，同時也慶幸自己有這麼一個能幹的臣子。

晏嬰《晏子春秋 · 內篇諫下》

齊景公出獵，上山見虎，下澤見蛇。歸，召晏子而問之曰：「今日寡人出獵，上山則見虎，下澤則見蛇，殆所謂之不祥也？」晏子曰：「國有三不祥，是不與焉。夫有賢而不

知，一不祥；知而不用，二不祥；用而不任，三不祥也。所謂不祥，乃若此者也，今上山見虎，虎之室也；下澤見蛇，蛇之穴也。如虎之室，如蛇之穴而見之，曷為不祥也！」

作者簡介

　　晏嬰（西元前578年～前500年），字仲，春秋齊國夷維（今山東省高密縣）人。是春秋後期著名的外交家和思想家。據司馬遷《史記》所記載，晏嬰身材短小，其貌不揚，但頭腦非常機敏，能言善辯。齊靈公二十六年，他的父親晏弱往生，晏嬰繼任父親的爵位為上大夫，歷任靈公、莊公、景公三朝，輔政長達五十四年。曾在齊景公時用計除掉公孫接、田開疆和古冶子這三名居功自傲的將軍，也就是歷史上著名的「二桃殺三士」。晏嬰平時生活節儉，謙恭下士，做官的薪水大多用來接濟齊國的處士，所以很受百姓愛戴。他在世的時候正值齊國走向衰落的時刻，內有權臣把持朝政，外有秦、楚的進患。晏嬰憑著自己的聰明才智，對內盡力輔助國君，力挽狂瀾；對外他則堅持原則，同時富有靈活性，使齊國在各諸侯國中享有很高的地位。晏嬰死後諡號平，史稱「晏平仲」，後人尊稱為「晏子」。

〔懂得機會教育的晏子〕

那是沼澤之王，巨蟒？！

傳宰相晏子。

今天我連連遇到凶獸，是不是不吉之兆啊？

主君啊，對王來說治理不好國家，那才是災禍呢。

至於老虎和巨蟒，他們本來就生活在那裡，見到很正常啊！

你說得沒錯。

我是國君，管理好國家才是我應該注重的。

小故事大道理

　　一個國家究竟有沒有不祥之兆？那肯定是有的！如果主掌國家權柄的人只顧自己享樂，不在意百姓的生活，盜賊蜂起、民不聊生，嚴重的還流離失所，那麼這樣的國家，肯定就要衰落，再不思改進，那麼滅亡也就指日可待。每一次的改朝換代不多是如此嗎？只是文中的齊景公還停留在當時的讖緯概念中，認為到山上去看到了老虎，到沼澤地去看到了蛇，是屬於王見王的兩敗俱傷，因此認為是不吉祥。這在當時是正常的概念，因為那時的風氣就是如此，但即使到了今天，仍然有許多人有這種老祖先代代積習流傳下來的觀念。打個比方，迷信一點的人，如果今天有這麼一個人要出

門辦事，可就在他開門出去時，突然看見屋旁樹的樹枝掉了一截下來，他可能就會心想，唉呀！不吉利，還是不要出門好了。是不是呢？或許你就會有這種想法了。而晏嬰他是能自主思想，衝脫時代讖緯氛圍的人，所以當齊景公跟他說了虎、蛇的事，並為此苦惱時，晏嬰就藉機開導，並把作為人君應該負起的責任和觀念跟他表明。因此晏嬰就把國家興衰歸結到「用人」上頭，提出了國有三不祥的概念，而這三不祥是有連帶關係的，第一就是「國有賢而不知」；第二是「知而不用」；第三是「用而不任」。將國家的興盛衰敗，簡要歸納為國君要知道國內的賢人在哪；知道了有這些賢人，那就要用他們來當官，為國服務；當用他們來當官了，也不能只是給個職位，還得賦予他們處理事情的權力，而不是當個傀儡。標示出這三項才是關係國家安全的命脈，這真是至理名言啊！

　　古代的國君位高權重，掌握人臣百姓的生殺大權。而臣子則是人微言輕，對國君總是戒慎恐懼，深怕一個不小心便要掉了腦袋。所以本篇故事傳達出一個重要的概念，就是晏子他抓住了最佳時機，點出了「上山見虎，虎之室也；下澤見蛇，蛇之穴也。如虎

之室，如蛇之穴而見之，曷爲不祥也！」的精闢見解，而給予景公機會教育，一來讓他知道知賢、用賢、任賢對於國家的重要性，二來則破除當時的迷信色彩。景公在聽了晏子的說解後，也才釋懷並勵精圖治。所以說，機會教育是學習的一大重點，懂得機會教育，效果更是有效而深刻！

5

値得學習的公正心胸

春秋時代，晉國大夫祁奚年老了，想要告老還鄉含飴弄孫以安享天年，晉國的君主知道他的意思後，除了惋惜外，一時也不知誰可以接替他的職位，於是就問他說：「祁愛卿啊，真是辛苦你了，你這一離開，有誰可以接替你的位置啊？」祁奚拖著老邁的身子，緩緩地向國君報告說：「主上啊，我覺得解狐這個人不錯，可以擔此重任。」國君一聽，不免一陣狐疑，心想是自己聽錯了嗎？說：「解狐？沒聽錯吧？他不是你的仇人嗎？你怎麼會推薦他呢？」祁奚笑笑的回說：「主上啊！您問的是誰可以接替我的職位，而不是問誰是我的仇人吧？我認為解狐這個人做事沈穩，思慮周密，雖然他是我的仇人，但為了國家的利益著想，所以向您推薦他，我想就目前來看，這位置就屬他再適合不過了。」國君一聽祁奚的話，既然是連對立的仇敵都推薦的人選，那應該就不會錯了，因此晉國的國君就任命解狐接任祁奚的職位。

後來國君又問祈奚，說：「祁愛卿啊！您看看有誰可以來擔任國尉這個職位呢？」祈奚做了一個簡單的分析後，回答國君說：「我覺得午這個人可以。」國君一聽又不免一陣疑惑，說：「午？午不是你的兒子嗎？」聽了國君的提問，祁奚正色地回答

說：「主上啊！您問的是誰可以擔任國尉，而不是問誰是我的兒子吧？」國君一聽也是，於是就依祁奚的推薦，任命了祁午擔任國尉。

一些有才識的人知道了這些事後，都認為祁奚是真的能推舉賢良適合的人了。稱讚、推薦自己的仇人來擔綱重任，別人不會認為他是在奉承諂媚；推薦自己的兒子出來當官，別人也不會認為他偏私，真是至情至性、公正客觀的人啊！《尚書·商書》說：「不偏私親近的人，也不結黨營私，君王之道浩浩蕩蕩。」說的就是祁奚這樣的人了。對外舉薦人材不避開仇人，對內舉薦人材也不回護自己的親戚，這可以說是最公正的了。只有有德行的人才能舉薦和他自己相類似的賢人。《詩經》說：「正因為他具有美德，所以才能推舉和他相似的人才來繼承他的官位。」說的也正是祁奚這樣的人啊！

對曰：「午可也。」君曰：「非子之子耶？」對曰：「君問可，非問子也。」君子謂祁奚能舉善矣，稱其讎不為諂，立其子不為比。書曰：「不偏不黨，王道蕩蕩。」祁奚之謂也。外舉不避仇讎，內舉不回親戚，可謂至公矣。唯善，故能舉其類。《詩》曰：「唯其有之，是以似之。」祁奚有焉。

作者簡介

　　劉向（西元前77年～前6年），字子政，本名更生，世居長安，祖籍沛郡（今江蘇徐州）。劉向是漢高祖弟楚元王劉交的第四代孫，劉向博覽群書，精通天文星象，同時也是西漢知名文學家兼目錄學家劉歆的父親。劉向在漢元帝時官任中壘校尉，後來因為權臣專政，不幸被廢。而到了漢成帝時，才改名為向，官任光祿大夫，校閱經傳諸子詩賦等書籍，寫了《別錄》這一本書，是我國最早的圖書分類目錄。另外著有《新序》、《說苑》、《列女傳》、《洪範五行》等書，並且編訂了《戰國策》、《楚辭》、《孫卿新書》等。

主君，我最近身體越來越不好，想退休養老了。

先生您辛苦了，好好休養。

唉，但您是國家的支柱啊……。

您退休後，我都想不到有誰可以接替您的位置了。

我覺得解狐不錯，可以接替這個位置。

解狐？你不是和他有仇嗎？！怎麼會推薦他？

〔值得學習的公正心胸〕

主上是問誰能接替這個位置，可不是問誰和我有仇呀？

好，我記住了。

那您覺得誰能勝任國尉呢？

我覺得午這個人可以。

午？午不是你兒子嗎？

是。但能不能擔任這個職務，可不是因為他是我兒子呀。

主上，選人是依據他們的能力，身分什麼的都不重要。

只有公平公正，只看能力選人，這樣才能找到最適合的人。

文詞客棧

非子之讎耶：「讎」，音ㄔㄡˊ，是仇怨、仇人的意思。通「仇」字。

稱其讎不爲諂：「稱」，音ㄔㄥ，是指讚美、讚揚的意思。「稱其讎不為諂」，是說稱讚仇人，也不會讓人覺得他是在逢迎諂媚的意思。

立其子不爲比：「比」，音ㄅㄧˋ，是指依附、偏私的意思。「立其子不為比」，是說他推薦自己的兒子，也不會讓人覺得他偏私的意思。

小故事大道理

　　自古英雄惜英雄，縱然是分屬兩個不同的敵對陣營，眾所熟悉的曹操和關羽，就是一個典型的例子。而在春秋時代的宋閔公，他有一個以勇力出名的武將長萬，在一次和魯國的打仗中被俘虜了。你們說怎麼著？一個被俘的將軍下場肯定很不好受吧，多的是被刑求、凌遲、無所不用其極的折磨。可是魯國國君一聽說抓到了宋國的名將長萬，卻是萬分的禮遇，把他養在宮中，吃好喝好，待爲上賓，不僅不殺他，幾個月之後，也應宋國的要求，釋放長萬回宋國去，這等愛惜人才的舉措，在現代是不大可能發生的事。

而在唐朝初年，國君重用了許多漢族以外的名將，當時的契苾何力就是名列史傳之中的一位英雄人物。將軍契苾何力是鐵勒部族的酋長，唐太宗征伐遼東，任命他為前軍總管。軍隊在圍攻白雀城時，契苾何力被一名敵兵用槊刺中腰部，以至傷口化膿成瘡，傷得非常厲害，差點就沒了性命，太宗愛才，親自為他敷藥。等到破城以後，太宗就下令尋找那個刺傷契苾何力的人，找到後便把他交給契苾何力，要讓契苾何力親手殺死他，好讓他發洩這口怨氣。但契苾何力知道這事後，立馬上奏太宗說：「犬馬都為牠們的主人效勞，何況是人臣呢？他為他的君主拚命作戰，衝鋒陷陣刺傷我，這真是一位赤膽忠心的勇士啊，請不要殺他！」太宗聽了也很感動，於是便釋放了這個刺傷契苾何力的人。

　　以上這幾個故事，在在說明了能拋開個人恩怨，站在客觀公正的立場來看待事情，同時也表現著愛惜人才的初衷，只有心胸夠寬大的人才能不計前嫌，不計利害地惜才、愛才。

　　本篇文章，祁奚告老還鄉，他大可在國君徵詢時，大潑政敵幾盆冷水，讓他們短時間無法有所作為，好保有自己及同派的利益，但他卻沒這麼做，他做的是一個公正無私的君子才有的作

爲。推薦了自己的仇人出來接替自己的位置，這是需要有多麼大的修爲才能做到的事啊；而他推薦自己的兒子擔任國尉，也毫不考慮他是不是自己的兒子，純是就他的觀察，認爲他的兒子午堪當重任，便舉薦了他，也不是因爲偏私的關係。如此以才幹爲基底，以能耐爲用，不問是否是仇敵或親戚，這眞的是難能可貴的人，也是值得我們一生學習的對象。

6 謙虛受教的晉平公

就在一個天氣微寒的黃昏，晉平公和國內非常著名的音樂家師曠喝著酒閒聊。看著夕陽，晉平公「唉～唉～～」的長嘆了幾口氣，然後緩緩地說出心裡的不安：「愛卿啊！古人很少可以活到七十歲的，而我今年已經七十歲了，我一心很想著要學習、精進自己，可是現在要學習，恐怕太晚了吧……！」師曠聽了平公的感嘆，覺得好笑，便不覺地大笑了幾聲後就緊接著說：「國君啊！您既然這麼想學習，又怕時日不多，那為什麼不點起蠟燭來，日夜勤奮的唸書呢？」當師曠的話音一落，平公便沈下臉，暗暗地看著他的愛卿師曠，滿不高興地說：「你身為臣子，怎麼可以如此取笑國君？是不是太放肆了！」

聽到國君不悅的話音，師曠連忙起身，恭謹地拱手並答拜說：「臣下不過是一個雙眼失明的樂師，怎敢取笑國君呢？臣下縱有天大的膽子，也不敢取笑國君啊！還請國君諒察！我聽人家說，年紀輕時喜好學習，就如同初升的太陽一樣，陽氣飽滿充盈；到了壯年的時候喜好學習，就好像是中午的陽光，還很強烈熾熱；到了老年時才喜好學習，這就好像太陽已經下山了，四周一片漆黑，僅僅靠著些許月光或星子的亮度是不夠的，所以只能點起蠟

經典閱讀──讀書趣

燭來照明一樣。剛剛國君感嘆自己年老但又很想要好好學習，可是又擔心時間不夠，所以我才有點蠟燭的說法啊！但話說回來，要說點亮蠟燭來走路，比起原地不動地坐著或摸黑胡闖瞎逛，國君您說哪一種來得好呢？」平公聽了師曠的說辭，一時氣也消了，連連點頭稱是地說：「你說的是啊！你說的是啊！」於是兩人又再度地喝酒暢談⋯⋯。

作者簡介

劉向（西元前77年～前6年），字子政，本名更生，世居長安，祖籍沛郡（今江蘇徐州）。劉向是漢高祖弟楚元王劉交的第四代孫，劉向博覽群書，精通天文星象，同時也是西漢知名文學家

少年時立志學習，就像早上的太陽，年輕有朝氣；壯年則有熱度、有能量。

老年學習，太陽的亮度不夠了，但除了星星、月亮的光之外，還可以點蠟燭呀。

與其待在黑暗中，不如點起蠟燭照亮周圍。

你說得沒錯。

來人！點燭，取書！

〔謙虛受教的晉平公〕

兼目錄學家劉歆的父親。劉向在漢元帝時官任中壘校尉，後來因為權臣專政，不幸被廢。而到了漢成帝時，才改名為向，官任光祿大夫，校閱經傳諸子詩賦等書籍，寫了《別錄》這一本書，是我國最早的圖書分類目錄。另外著有《新序》、《說苑》、《列女傳》、《洪範五行》等書，並且編訂了《戰國策》、《楚辭》、《孫卿新書》等。

文詞客棧

（師曠）盲臣：盲臣是指瞎了眼的臣子。古時候負責譜曲的樂官，通常是由瞎子來充當，因為瞎子失去視覺後，無形中他的聽覺就更加敏銳，一如現今人說的「青盲精」（閩南語），意思是說瞎眼的人更加厲害的意思。就因如此，所以古代許多樂官都是由聽覺相對敏銳、可以明辨樂音的瞎子擔任，而師曠正是晉平公時有名的樂官。

炳燭：「炳」通作「秉」，是持拿、執握的意思，所以「炳燭」也就是秉燭、持燭、拿燭的意思了。《文選》曹丕〈與朝歌令吳質書〉：「古人思炳燭夜遊，良有以也。」用的正是這個意思。而本文原典中的「炳燭之明」，

因蠟燭的光無法遠照，所以炳燭之明是指微弱的亮光，因此就被用來比喻人老而好學的意思。

小故事大道理

　　我們常聽人說「學無止境」、「活到老、學到老」，可是晉平公似乎忘了這個道理，所以在他七十歲時，就向師曠發出了想要學習恐怕太晚了的感嘆來。這時，身為晉平公樂官的師曠，也不怕可能引起國君的不滿，當下就給平公上了一課。在這裡，師曠用「日出」、「日中」和「炳燭」，與人的「少年」、「壯年」和「老年」搭配，用來說明人生學習的三個階段與學習的重要性，搭配得十分契合呢！

　　人到老年，身體機能，不論是外在的精力或者是內在的記憶力都大大衰退，比起年輕人來，學習上確實存在更多的困境，但只要有心，總還是可以克服的。因此師曠就把老年期的學習，形容成太陽下山了，雖然漆黑一片，但不也可以點上蠟燭來勤讀學習？所以學習不論年齡，只看是否有心、有毅力！

　　從這篇文章，我們可以清楚的知道，當國君說出年紀已七十，

想學恐怕太晚了的話時，師曠便順口提出「何不炳燭乎？」的建議，這話聽在晉平公的耳裡確實感到不是滋味，認為你一個臣子怎可以如此戲弄國君呢？但師曠不是不瞭解，所以便鄭重的把他的看法跟國君解說、分享，國君聽後也能認同並接受師曠說的道理。從這兒可以知道師曠的即時機會教育，同時也可以看得出晉平公不因自己是國君就強奪人臣的威儀，並且有接受善言的雅量。或許我們可以這麼說，就因有晉平公這樣有雅量的國君，才能有勇於進善言的師曠這種臣子；也就因有勇於進善言的師曠這種臣子，才能成就晉平公有雅量的這個國君。

7

死也要正直的黔婁妻

春秋末年，一生貧窮但行事正直的黔婁先生去世的時候，曾子率領著弟子一同前去弔唁。一到黔婁生前所住的破敗屋子，黔婁夫人一見故舊，雖心中悲愴卻也出門相迎，曾子一見，按捺著難掩的悲傷，先與黔婁夫人一陣寒暄慰問後，便進得屋去。

進屋上堂後，環顧蕭索頹敗的壁面，心中不由得更加悲傷難過，而黔婁的遺體就安放在透光的窗戶下頭，身下墊著草蓆，頭枕著土塊。衣服破舊，身上蓋著布單子，而這布單子因為太小了，還不能完全遮蔽大體，若想要蓋住頭而把布單子往上拉，那麼就會露出那蒼白的雙腳；若是想要能遮蓋住雙腳，那麼骨瘦如骷髏的頭也就顯露了出來。

看到這情景，曾子的心又更加的不捨了，為了使布單子能完整遮掩住大體，曾子止不住悲傷的提議說：「嫂子，如果把布單子斜著蓋，就能完整遮蓋住大體了。」黔婁夫人一聽，瞬間抬起頭，並用剛強的語氣說：「斜著蓋上，不如正著蓋不上！我家老黔就是不肯搞邪門歪道，才落到今天窮困而死的地步。他活著的時候，一生正直不阿，現在死了，怎麼可以來斜的呢？這不是我家老黔的作風啊！」說完，又低頭輕輕地啜泣著。

曾子聽了黔婁夫人的話後，心中難掩悲傷而情不自禁地放聲大哭起來，問說：「唉！塵歸塵，土歸土，黔先生去世了，可有什麼諡號啊？」黔婁夫人收拾起剛強的口吻，輕聲地說：「諡號是『康』。」曾子疑惑地問：「黔先生活著的時候，吃也吃不飽，穿也穿不暖，飢寒交迫。死了也沒辦法好好斂葬，而祭拜也看不見酒肉。在世時活得憋屈，往生後也覺得窩囊啊！這樣的情景，怎麼可以諡號叫『康』呢？」黔婁夫人回應說：「我家老黔可不是您想的一般人，想當年魯國國君請他出山當宰相，可我家這頭倔驢子死硬就是不肯，從這點看來，他也算是有地位的人。後來國君又賞賜了三十鍾粟米，可老黔寧願挨餓也死硬都不接受，從這事來看，他也算是有餘財的人了。老黔在世以天下的平淡為美，以天下的卑位為安。從不因貧賤而憂愁，也不汲汲於追求富貴。這輩子求仁得仁、求義得義。所以把他的諡號取做『康』，不是挺合適的嗎？」

　　事後，曾子說：「只有像黔先生這樣子的人，才能娶到這樣的妻子啊！」君子說黔婁的妻子是能喜樂於貧窮並且遵行道義的人

了。《詩經》中說：「彼美淑姬，可與寤言。[1]」就是說的這樣的
人啊！

原典

劉向《列女傳・魯黔婁妻》

　　魯黔婁先生之妻也。先生死，曾子與門人往弔之。其妻
出戶，曾子弔之。上堂，見先生之尸在牖下，枕墼席稿，
縕袍不表，覆以布被，首足不盡斂。覆頭則足見，覆足則
頭見。曾子曰：「邪引其被，則斂矣。」妻曰：「邪而有
餘，不如正而不足也。先生以不邪之故，能至於此。生時
不邪，死而邪之，非先生意也。」曾子不能應遂哭之曰：
「嗟乎，先生之終也！何以為諡？」其妻曰：「以『康』為
諡。」曾子曰：「先生在時，食不充虛，衣不蓋形。死則手
足不斂，旁無酒肉。生不得其美，死不得其榮，何樂於此而
諡為『康』乎？」其妻曰：「昔先生君嘗欲授之政，以為國
相，辭而不為，是有餘貴也。君嘗賜之粟三十鍾，先生辭而
不受，是有餘富也。彼先生者，甘天下之淡味，安天下之卑
位。不戚戚於貧賤，不忻忻於富貴。求仁而得仁，求義而得
義。其諡為『康』，不亦宜乎？曾子曰：「唯斯人也而有斯
婦。」君子謂黔婁妻為樂貧行道。詩曰：「彼美淑姬，可與
寤言。」此之謂也。

---

[1]　彼美淑姬，可與寤言：那位溫柔美麗的女子，可以和她相會交談。
　　「姬」是古代對婦女的美稱。

您好，請問是黔婁先生家嗎？

聽聞先生逝世，我來盡盡最後的心意。夫人請節哀。

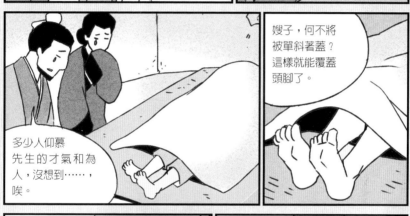

嫂子，何不將被單斜著蓋？這樣就能覆蓋頭腳了。

多少人仰慕先生的才氣和為人，沒想到……，唉。

不。斜著蓋，不如保持正著蓋不上。

我夫君生前就是因為太過正直，才會甘願貧困而死。

〔死也要正直的黔婁妻〕

他堅守正道，我又怎麼能違背他的堅持呢？

怎麼會這樣取？

追封諡號為「康」，意思為安樂、富足。

我夫君也曾有機會當高官、享高薪，

但他卻寧可貧病而死。

他堅守仁義，求仁得仁，

我想心裡也是安樂的吧！

您們倆夫妻一生的堅持，實在令人敬佩啊！

劉向（西元前77年～前6年），字子政，本名更生，世居長安，祖籍沛郡（今江蘇徐州）。劉向是漢高祖弟楚元王劉交的第四代孫，劉向博覽群書，精通天文星象，同時也是西漢知名文學家兼目錄學家劉歆的父親。劉向在漢元帝時官任中壘校尉，後來因爲權臣專政，不幸被廢。到了漢成帝時，才改名爲向，官任光祿大夫，校閱經傳諸子詩賦等書籍，寫了《別錄》這一本書，是我國最早的圖書分類目錄。另外著有《新序》、《說苑》、《列女傳》、《洪範五行》等書，並且編訂了《戰國策》、《楚辭》、《孫卿新書》等書。

文詞客棧

往「弔」：「弔」，是奠祭死者的意思。可「弔」這個字爲什要有「弓」來組構呢？這和古代的守屍習慣有關。根據文獻記載，遠古時，人往生後，屍體通常是直接丟在野外，任由飛禽走獸去咬食，可當人際間的情感發展到一定的程度時，看到這樣的情況，心中不免燃起不捨的情愫來，於是就有了

守護屍體的動作。守護屍體，剛開始是利用長竹片的彈性，再搭上土塊或石塊來擊打咬走屍塊的飛禽走獸，等到文明日益演進，人們懂得製作弓箭了，於是便帶著弓箭去幫忙保護往生者的大體，因此小篆的「弔」寫作「」，是一個人帶著弓的樣子。一直到現在，雖然已經不再用弓箭去幫忙往生者的親人保護屍體了，但我們仍然使用由弓組構的這個「弔」字，所以「弔唁」要用「弔」，而不能用「吊」喔。

上堂：「堂」，是一個開放的高臺。古代的建築設計，略如圖一，四周是高聳的圍牆，一進大門就是一個開放的庭院，有錢人家可能在院裡挖個水池，種些花草樹木，或者搭建亭台樓閣之類，但其中必不可免的就是會有兩道樓梯，東邊的稱東階，西邊的稱西階，如果有客人來，那麼主人就走東階，而客人就走西階。走上階梯才能到這個開放性的高台「堂」，而到了「堂」之後，才能進入旁邊的「室」，因此我們有一句成語就是依照古代的這種建築形制而來，是哪一句呢？就是「登堂入室」，因為要到「堂」上去，必須得爬樓梯，所以才說「登堂」，上了堂之後，才能進入堂旁邊的「室」（房間），所以「入室」的前奏必得先「登堂」才行，所以才說「登堂入室」。那麼文中的「上堂」，也就是走樓梯到堂上的意思（如圖一）。

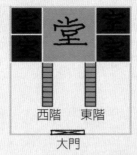

西階　東階

大門

圖一　古代堂室建築圖

邪引其被：「邪」，在古代是和「斜」通用的，是指「偏斜不正」的意思。

粟三十鍾：「鍾」是古代計算容量的單位。一鍾約等於六斛四斗。而一斛，在東漢時是作十斗，而到明代的文獻，記載一斛是五斗。所以度量衡是隨著時代變更也會有不同的標準。不過這篇文章是戰國作品，所以姑且用一斛是十斗來算，而一斗是十升。如此算來，三十鍾，就是一千九百二十斗，也就是一萬九千二百升了。

小故事大道理

　　人生事有時很難說，你是想要「斜」而富有呢？還是想要「正」而貧困？社會上多的是騎牆派的人，那裡有好處就斜靠過

去，可當好處沒了，哪怕已經吸血啃肉好一陣子了，他也不會看之前的恩情而拍拍屁股走人，這是社會上普遍的樣貌，而這又多數出現在富有人的週遭⋯⋯。

然而像黔婁這樣的人，則是社會上的少數，不僅如此，就連他的妻子也是極其特別的人。

在黔婁生前，魯國國君曾請他出山當宰相，這是多大的榮寵啊，可是黔婁就是不肯；而國君也曾賞賜三十鍾粟米，可黔婁寧願挨餓也不肯接受。從這事看來，他真是甘於自身的貧困也不折自己心中的想望，以平淡為美，以卑位為安，縱然家徒四壁，也不汲汲於富貴。可說是求仁而得仁、求義而得義啊！特別的是，當黔婁死後，覆蓋大體的布單子不夠大時，好友曾子提出建議：「如果把布單子斜著蓋，就能完整遮蓋住大體了。」這一提議，惹得黔婁夫人義正剛強地說：「斜著蓋上，不如正著蓋不上。我家老黔就是不肯搞邪門歪道，才落到今天窮困而死的地步。他活著的時候，一生正直不阿，現在死了，怎麼可以來斜的呢？這不是我家老黔的作風啊！」俗語說：「龍交龍，鳳交鳳，隱疴的交侗戀。」說的是物以類聚的意思，啥樣的人就交啥樣的朋友，想來也唯有像黔婁這樣的

人，才能娶到這樣的妻子！在我們人生的學習路上不也是如此？志趣相投的人總會走在一塊兒。

自來受人敬重的孔子，不也有「席不正不坐」、「割不正不食」的要求？而同為黔婁的好友曾子，也是一個如同黔婁個性剛正的人，在他生病斷氣前，也硬是要自己的兒子換掉好友所送，自己還躺著的大夫官的蓆子，認為自己不是大夫官怎可以躺這身份的蓆子呢？所以就在換蓆的過程中斷氣了。我想，在曾子死前知道小孩已在幫他換符合身份的蓆子，曾子也該瞑目安慰了，也唯有像黔婁這樣的個性，才能深交到曾子這樣的人啊！

不過個性像黔婁如此決絕的倒也多少有耳聞，譬如：在東漢時，住在太原有一個叫郝子的人，身世貧困但為人廉潔不阿，即使沒吃沒穿的也絕不接受別人的接濟。有一次路過姐姐家，吃過飯後，便偷偷地拿出續命的十五個銅錢放在蓆子下，然後才離去。而當他外出，每當從水井裡頭打水喝後，便往井裡扔一個銅錢，當做是水費。唉！世上就是有這樣的人，而這樣的人通常都是能自安於困頓的環境中，始終保持著「正」心而絲毫不允許一絲絲「斜」掉的！而這也正是我們現在社會最欠缺，也最值得學習的精神！

不可以貌取人

8

戰國時代的子高，是齊王的愛卿，有一天他去覲見齊王。齊王一看到他，就向他徵詢了一件惱心的事，說道：「子高啊！我們的臨淄城城宰（長官）已經懸缺很久了，這可不是辦法呀！你認為誰可以擔此重任呢？」子高聽後，不假思索地直白回答說：「管穆吧！」齊王一聽，臉上露出疑惑的表情，停頓了幾秒後才緩緩的說：「管穆？你沒說錯吧？管穆這個人長得這麼醜陋，恐怕得不到老百姓的尊敬吧？」子高聽了齊王這番話後，心頭不禁一愣，深深覺得不可思議，怎麼國君是這樣看待一個人的呢？於是苦口中帶點嚴肅的語氣跟齊王說：「啟稟國君：一個人能不能受人敬重，主要是在於他的德行，況且我所稱許管穆的，是在於他的才幹。國君應該聽說過晏子和趙文子吧？相傳晏子身高不過三尺，外表長相又極度的醜陋，但是齊國上下沒有不景仰他的，就因為他把所得到的薪水，多數用來接濟還沒發跡的處士們，齊國的這些處士因他的薪水而可以升火煮飯過活的就有好幾百戶人家，所以晏子深深獲得齊國百姓的愛戴，這都是因為他有德行的緣故啊；而趙文子，瘦弱得就連衣服也支撐不住似的，嘴也笨拙得好像說不出話來，不僅僅身體如此糟糕，說話也非常遲鈍，但是他擔任晉國的

宰相，晉國也因爲他的治理而得到安寧，並且受到各諸侯國的敬重。這兩個人的外貌都不如人，但他們之所以受人景仰，這沒有別的原因，主要是因爲他們都有受人敬重的德行啊！如果現在以管穆的身體健壯程度和容貌的醜陋情況來和這兩人比較，管穆都比他倆要好得多啊！從前臣下曾經路過臨淄的市集，看見市集中有一個賣豬肉的屠夫，身高八尺，而且鬍鬚就像戈戟一樣又直又硬，方方的大臉且面皮紅潤，昂昂八尺之軀而又健挺的一個人，看起來氣魄威武八方，可是集市中來往的男男女女，就是沒有敬重他的人，爲什麼呢？說白了，也就因他德行不高的緣故啊！」說完，子高不禁露出哀傷的神情看著齊王，似乎還在爲剛剛齊王的話感到傷感似的。

　　齊王聽了子高這一番精闢的見解後，不知不覺地爲剛剛自己以貌取人的粗鄙想法感到慚愧，並以自己能有子高這位直言進諫的臣子而感到安慰，他用像從泥淖中脫身而出的喜悅口氣說：「愛卿啊愛卿！你說得太棒了！的確就像愛卿所說的這樣啊！」於是乎齊王從善如流地任命管穆，派他做臨淄的城宰。

孔鮒《孔叢子·對魏王》

子高見齊王，齊王問誰可為臨淄宰？稱管穆焉。王曰：「穆容貌陋，民不敬也。」答曰：「夫見敬在德。且臣所稱，稱其材也。君王聞晏子、趙文子乎？晏子長不過三尺。面狀醜惡，齊國上下莫不宗焉。趙文子其身如不勝衣，其言如不出口，非但體陋，辭氣又吶吶，然其相晉國，晉國以寧，諸侯敬服，皆有德故也。以穆軀形方諸二子，猶悉賢之。昔臣常行臨淄市，見屠賈焉，身修八尺，鬚鬢如戟，面正紅白，市之男女未有敬之者，無德故也。」王曰：「誠如先生之言也。」於是乃以管穆為臨淄宰。

作者簡介

孔鮒（西元264年～208年），字子魚，一字甲，或稱孔甲，是孔子的第九世孫。秦始皇封他為魯國文通君，官拜少傅。陳勝在大澤起義的時候，聘他作博士、太師。相傳秦始皇焚書時，孔鮒將《尚書》、《詩經》等儒家經典（當時寫在竹簡上），藏在曲阜孔子宅第牆壁中。一直到漢景帝的兒子魯共王劉餘為了擴建王宮，在拆除孔宅時，才發現了這批竹簡，這些竹簡因為是用古文寫成的，所以稱為古文經。

子高參見陛下。

快快請起。

愛卿啊,有一件事我煩惱很久了。

臨淄城的市長已經空缺很久了,你覺得誰有能力擔任?

當然是管穆!

這樣的人恐怕得不到百姓尊敬吧?

〔不可以貌取人〕

主君您應該聽過晏子和趙文子吧？他們是齊晉兩國的宰相。

主君怎麼能光以外表評價一個人呢？

晏子身材矮小，外表醜陋。趙文子瘦得像竹竿，講話還不流利。

即使一個人長得很帥，若他是草包，也沒有人會尊敬的。

但他們都因有德行，又會治理國家，而受到百姓愛戴。

愛卿說得有理，以貌取人確實是我的過失啊！

文詞客棧

晏子長不過三尺：是指晏子身高不超過三尺的意思。一般「三」有表多數的意思，但這裡卻是實指，也就是指實際的數字。那麼三尺是多長呢？我們現在一尺是三十公分，但春秋時代的一尺，大約是我們今天的二十二點五公分，如此算來，晏子身高才六十七點五公分左右，真是典型的侏儒啊！但根據史書記載，晏子是身高不滿五尺，大約是一百二十二點五公分。不管是不滿五尺或三尺，他都是一位令人敬重的有德有智慧的大人物。

小故事大道理

以貌取人，自古以來多數如此。或許你小時候就有親戚朋友對著你的長相品頭論足一番：「哦！額頭寬廣，將來肯定是一位大貴人」；「啊！大鼻子，是有財庫的象徵，將來會很有錢」；「唷！耳垂很大喲！將來會是大富大貴的人」；「啊！五官端正，前庭飽滿，將來不是當官就是當醫生……。」唉！所有未來的一切，就被與生俱來的這一張臉給預示了？「真是這樣嗎？」「錯！錯！錯！」要加重語氣，所以要說三次！人的未來，與長相沒有絕對的關係，「那與什麼有關呢？」問得好，和「德行」有

關！陳樹菊女士受到大家敬重，是因她的長相嗎？不是！是因她捐款的善行，也是因她一生勤儉而大方施惠的德行！

不僅對人不可以貌取人，對待東西也不能以表相來斷定它的功能或價值，如晉代張華《博物志》就記載一則有關麝香的故事，那事發生在漢武帝的時代，有一個國家派遣使臣前來進貢麝香，當武帝一看那形如大棗且只有燕子蛋大小的三個麝香，心中百般不高興，就把它們全交給宮外府庫收藏。誰知過了不久，長安城流行瘟疫，宮中也難以倖免，武帝心急如焚不知所措……，就在這時，那位進獻麝香的使臣就請求武帝拿出所貢麝香一枚來燒，好用來驅趕瘟疫。武帝在無法可施的情況下，只好姑且一試。說也奇怪，當麝香一燒，香味四散，宮中身染瘟疫的人都好了，而這麝香味飄散到長安城外，方圓百里的地方都聞得到這香氣，並且蘊積了九十多天還沒消散，也使得城外身染瘟疫的人漸漸恢復了健康。此舉著實為武帝解決了一次空前的大災難，於是就以隆重的禮節為那位使臣餞行，並且回贈了非常豐厚的禮物。

又有一次，西海國派遣使者進獻了五兩香膠給漢武帝，武帝一看，內心也感到萬般不舒服，心想送這些是什麼東西？這麼微

薄，於是又交給宮外府庫收藏著。後來，有一次武帝到甘泉射箭，不巧因張力過猛而斷了弦，左右侍從趕忙要換上新弦，這時進貢香膠的使者要求用隨身攜帶的的香膠把弦給連接上，在場的人一聽莫不感到訝異……。於是使臣用口水使香膠軟化成黏液後，便把它塗在斷弦上再對接起來。當接好後，武帝派兩位力士拉扯弓弦竟無法拉斷，這真是太神奇了，於是就把這香膠命名作「續弦膠」。

　　這兩則故事都說明了武帝從表象為所看到的麝香和續弦膠下價值判斷，因此犯了嚴重的錯誤。所以以貌取人，或以表象判斷物品的可能功用或價值，這是常有但卻不是應該有的態度！

　　所以本文在在強調，德行才是人的根基，才學是立基於德行上方能呈顯它的價值，可惜的是現在的環境是重科技而輕人文，大大減損了德行的養成，以至於「笑貧不笑娼」，這種只要有錢，即使幹了敗壞德行的事也沒關係的現象。可是當你靜下心來思考一下，你就會發現，德行是一切的根本，有了它做根基，那麼一切才能長久，也才能令人敬重，所以孔門四教「德行、言語、政事、文學」中，「德行」排第一，這實在值得我們深思啊！

9

學習一技之長

戰國時期以詭辯聞名的名家代表人物公孫龍，有一次在趙國遊歷的時候，表情嚴肅地對著他所有的弟子說：「如果一個人沒有半點本領，我是不可能和他交往成為朋友的。」

　　某天有一個身穿麻布短衣，腰上繫著破舊粗草繩的人登門求見說：「久仰先生大名，在下沒啥特長，雖然如此，但我擅長呼叫，一般人呼喚不到的遠方，我都可以用呼叫的方式，和他進行聯絡，所以我也算是有一項本領的人，請收我為徒吧！」公孫龍一聽這人的自白，還覺得滿有意思的，於是環顧眾弟子後，問說：「你們當中有善於呼叫的人嗎？」所有弟子一聽，個個相視而笑，同時也在心裡嘀咕著：「這算哪門子本領啊！」不過聽了老師的問話，衡量自己也沒這項專長，所以弟子紛紛回答說：「沒有。」公孫龍心想徒弟中沒有善於呼叫的人，於是說：「既然沒有善於呼叫的徒弟，那就收下他吧！把他登錄在弟子的名冊上。」

　　過了幾天，公孫龍前去遊說燕王，一行人來到了一條大河邊想要渡船，可不巧的是這條渡船卻停靠在遙遠的對岸，即使眾人大聲呼叫，船夫卻也無法聽見。於是公孫龍就讓那位新收而善於呼叫的人來召喚船夫，只聽得這人一鼓吸氣，徐徐地放聲呼叫

「喂～」，聲音洪亮且長遠，不一會兒就看見船夫在對岸揮了揮手，便馬上搖著渡船往這頭過來了。當這一呼叫，令眾弟子十分佩服，居然有人可以練就出這般洪亮的喉嚨，從此也就不敢再輕視他了。所以說，有修爲的聖人處世，是不會拒絕有一技之長的人啊！

劉安《淮南子‧道應訓》卷十二

原典

昔者公孫龍在趙之時，謂弟子曰：「人而無能者，龍不能與遊。」有客衣褐帶索而見曰：「臣能呼。」公孫龍顧謂弟子曰：「門下故有能呼者乎？」對曰：「無有。」公孫龍曰：「與之弟子之籍。」後數日，往說燕王。至於河上，而航在一汜。使善呼者呼之，一呼而航來。故曰：「聖人之處世，不逆有伎能之士。」

作者簡介

劉安（西元前179年～前122年），西漢沛縣（今江蘇省徐州市豐縣）人，是漢高祖劉邦的孫子，漢武帝劉徹的叔叔。他承襲父親的爵位而受封爲淮南王，善長寫作，很受漢武帝看重，曾命他

嗯？有點意思，而且勇氣可嘉。

那你就留下來吧。

船夫！！

船夫停在對岸了，我們呼叫不到。

交給我！

喂！！！

喂

再也不敢小看你了。

你這技能真厲害。

作〈離騷賦〉，劉安從清晨到早餐時就已完成，顯見他寫作的長才。也曾和賓客、方士一同撰寫《鴻烈》，後世稱《淮南子》。《淮南子》綜合了先秦儒、道、法、墨等各家學說，又涉及煉丹術、醫學、物理學、天文學等自然科學領域，保存了很多中國古代哲學和科學的知識，具有很高的學術價值。劉安後來因預謀叛變東窗事發，最後自縊而亡。

文詞客棧

顧謂：以前師徒（老師和學生）外出，通常是老師走在前面，學生排列在後，所以只要老師有話要問或要說，通常會「轉過頭」跟學生提，這個「轉過頭」就是「顧」的本義，也就是《說文解字》所說的「還（ㄏㄨㄢ）視」。所以「顧謂」也就是「轉過頭去說」的意思。在我們看有關孔子的文獻中，常常可以看見「孔子顧謂弟子曰」，那也就不足為奇了。

小故事大道理

擅長呼叫，在一般大眾看來這好像沒什麼用處，可是價值的高

下並不在於事物本身，而是在於它使用的時機。

「雞鳴狗盜」就是一個一技之長的最佳說明。齊湣王二十五年，齊君派了孟嘗君出使秦國，秦昭王非常賞識孟嘗君，於是讓他擔任秦國的宰相。可是在臣僚中有人規勸秦王說：「孟嘗君的確是賢能，可是他是齊王的同宗血脈，現在讓他擔任秦國宰相，那麼他在謀劃事情上，必定會以齊國的利益為優先，之後才會考慮到我們秦國，所以任命他當宰相，那麼我們秦國就要危險了。」於是乎秦昭王就罷免了孟嘗君的宰相職務，同時也把他們一行人都囚禁起來，意圖加以殺害。

孟嘗君畢竟見多識廣，知道情況危急，於是就偷偷派人去覲見昭王的寵妾，請求她幫忙解危。但要做這等事也不是簡單的事，所以這個寵妾就提出條件，說：「我希望得到孟嘗君的那件白色狐皮裘做為交換條件……。」孟嘗君來秦國的時候，確實帶來了一件價值千金的白色狐皮裘，可是在覲見秦昭王時便獻給了他，天底下再也沒有第二件了。當知道秦昭王寵妾的要求後，孟嘗君頗為這事發愁，問遍了所有賓客，但也沒人想得出辦法來。

有一位被食客瞧不起的人，當時被孟嘗君收為門客的原因是他

會學狗鑽洞偷東西，就在這時，這「狗盜」說：「主子，我可以鑽進收藏皮裘的府庫，把那件白色狐皮裘偷出來。」孟嘗君在無計可施之下，也只好讓他試試。於是當夜他便化裝成狗，鑽進了收藏寶物的府庫，偷出了獻給秦昭王的那件狐白裘。……於是便拿來獻給了昭王的寵妾。寵妾得到後，果真為孟嘗君向昭王說情，昭王在寵妾的語甜身軟下，便釋放了孟嘗君一行人。孟嘗君一行獲釋後，立即快馬逃離，在更換了幾次的出境證件，同時也改了名姓後想要逃出城去，就在夜半時分來到了函谷關。昭王後悔放了孟嘗君，同時又發現他已經逃走了，於是馬上派出殺手飛奔前去追殺。

孟嘗君一行到了函谷關，按照當時關法規定，早晨雞叫時才能放人出關，可是眼見還不到雞鳴的時刻，孟嘗君又擔心追兵趕來，正為此事萬分著急。就在這時，有一位也被門客瞧不起的食客中，他的才能只會學雞叫，於是他便學起雞叫來，說也奇怪，當他叫了幾聲後，附近的雞也隨著一齊叫了起來，守關的人便開了城門，孟嘗君一行出示了證件，便一溜煙地逃出函谷關。而就在出關後大約一頓飯的時間，秦國的殺手果然追到了函谷關，但已無法追上孟嘗君了……。

想當初，孟嘗君把這兩個人安排在門客中的時候，所有的門客沒有不感到羞恥的，認為和這樣子的人平起平坐，覺得臉上無光，但是孟嘗君在秦國遭到這次劫難，卻靠著這兩個人的長才解救了他們一行人。從此以後，門客們都佩服孟嘗君不分才能高下而廣招食客的做法。

　　雞鳴和狗盜這兩人的長才，不就和本文中的善長於呼叫的這個人一樣嗎？才能沒有高下之別，只有在運用出來的時候，價值才能呈顯。

　　人生於世，總要對社會、對自己能交代的過去，而學習一技之長就是最基本的負責態度，有一技之長，未來總有發揮長才的時刻，如果不學無術，那麼終將渾噩度日，了卻一生。而各人有各人的專長，彼此貢獻所長，這樣便可以彼此互利、造福人群。因此各人均有適性發展的地方，誰也不要輕視誰，一如水電工也有他們的專長，而善於呼叫的人也有他過人之處啊！

10

以舊有為新創基礎

漢 高祖劉邦得到天下後，建都長安，因此便請在家鄉的老父移居到長安來，讓他住在金碧輝煌的皇宮內，享享清福。

太上皇（劉邦的父親）幽居在皇宮中，卻整天發悶不快活。劉邦悄悄地向他的侍從查問原因，原來太上皇是思念從前的生活和當屠夫、小販、賣酒、賣餅的朋友們；懷念民間的娛樂活動，如鬥雞、踢球。但來到長安，住在皇宮中，這一切的一切都沒有了，所以太上皇整天顯得無精打采、悶悶不樂。

身為兒子的劉邦，一知道原因後，為了滿足太上皇，於是就下令在驪邑按著老家豐縣街的格式建造新城，稱作「新豐」，並把原來住在豐縣的老百姓都給遷了來，太上皇因此十分開心。因老家豐縣位處僻壤，多是些沒受過教育、沒有學識的人，所以移居到新豐後，新豐也就充斥著這麼一些人。

劉邦年輕時，常在家鄉的粉榆社祭拜。所以當把百姓遷徙到新豐時，也一併將粉榆社一起搬遷過來。就這麼著，新建的豐城，它的大街小巷、房屋建築，各色什物等等，都和原來的豐縣一模一樣，所以當把百姓遷到新豐城時，男女老少，手拉著手相攙扶著聚集路邊，他們一眼便各自認出了自家的房子。把狗羊雞鴨放在四通

八達的大道上，它們也都爭搶著往自己的家裡跑。這一切都是匠人吳寬仿效豐縣建造的。這裡的一切都和豐縣一樣，從豐縣移居到這裡的人都非常高興，並且很愛惜這裏的一切，所以大家都比賽著加倍賞賜或贈送禮物給吳寬，也才這麼短短的一個多月，吳寬就積累了百姓送的兩千兩的銀子。

原典

葛洪《西京雜記》卷二

太上皇徙長安，居深宮，悽愴不樂。高祖竊因左右問其故，以平生所好，皆屠販少年，酤酒賣餅，鬥雞蹴踘，以此為歡，今皆無此，故以不樂。高祖乃作新豐，移諸故人實之，太上皇乃悦。故新豐多無賴，無衣冠子弟故也。高祖少時，常祭枌榆之社。及移新豐，亦還立焉。高帝既作新豐，並移舊社，衢巷棟宇，物色惟舊。士女老幼，相攜路首，各知其室。放犬羊雞鴨於通塗，亦競識其家。其匠人吳寬所營也。移者皆悦其似而德之，故競加賞贈，月餘，致累百金。

作者簡介

葛洪（西元283年～363年〔一說343年〕），字稚川，自號抱朴子，人稱葛仙翁，是丹陽句容（今江蘇）人。他從十六歲起就閱

唉。

父親為何悶悶不樂？

我好不容易統一了天下，您也是太上皇了，要什麼儘管說。

劉邦，唉，兒子啊。
還是不習慣叫你皇上。

再好吃的東西，吃久也會膩啊……

好想念路邊攤的小吃。

也想念家鄉那些鄰居，皇宮裡都沒人陪我踢足球、鬥雞。

覽《孝經》、《論語》、《易經》等儒家經典，又特別喜愛神仙導引相關的書籍，是東晉的陰陽家、醫藥學家、煉丹家、博物學家，也是當時非常著名的道教人士。在中國哲學史、醫藥學史以及科學史上具有很高的地位。他曾受封為關內侯，後來隱居在羅浮山煉丹，著有《抱朴子》、《神仙傳》、《肘後備急方》等書。

文詞客棧

鬥雞蹴踘：「蹴踘」，音ㄘㄨˋ ㄐㄩˊ。是一種古代踢球的遊戲，有點像現在的踢足球。根據《事物紀原》的記載，蹴踘起源於黃帝時代，流行於漢唐，宋代發展到巔峰，明清逐漸衰微。現在的「踢毽子」還留有蹴鞠的影子。明汪雲程《蹴鞠圖譜》，就記載著從唐宋到元明間蹴踘的比賽、遊戲方法，以及球場的形式、規例等等。

移者皆悅其似而德之：「德」的意義很多，但在這裡是做「感激」、「感恩」的意思。整句大意是說「這些由豐縣搬來新豐城的百姓們，都很高興新豐城的街道、建築……等等都跟以前的豐縣像極了，因此大家都非常感激吳寬的營建付出」。

致累百金：「累」，音ㄌㄟˇ，是累積的意思；「金」，不是金子喔，「金」是古代的幣制單位，一金相當於二十兩銀子，所以「百金」就是兩千兩銀子的意思。

小故事大道理

　　有道是「金窩銀窩，不如自己的狗窩」，畢竟是自己長久熟悉的住所，一呼一吸好像都與整個住處相連密合。哪裡有窟窿、哪裡有小花、哪裡有雞叫、哪裡可採野菜……，更重要的是什麼時候想聊天就可以去找老朋友串門子，這是多麼難得且自在熟悉的環境啊！所以一般人「安土重遷」，不隨便搬家，寧願老死在自己破陋的屋子，也不願在陌生富麗的屋內往生。所以劉邦得天下後，把他的父親移居到京城長安，太上皇整天就只能窩在幽深的皇宮內，沒辦法再過以前的自在生活，也不能和當屠夫、小販、賣酒、賣餅的朋友聊天，同時也不能再如以前一樣參加民間的娛樂活動，所有一切的一切都不見了，雖然現在身上穿著綾羅綢緞，但是穿起來卻不合心；每餐吃的雖然都是山珍海味，但是吃起來卻不合口。不僅如此，身邊不時有陌生的僕人侍奉著、侍衛警戒著，坦白說，一點自

由、絲毫的隱私都沒有，倒像個犯人似的，也難怪他整天鬱鬱寡歡而發悶不快樂了。

　　劉邦畢竟還稱得上孝順，在他知道太上皇的不樂後，便悄悄地向侍從查問原因，想著如何改善。身為天下主宰的皇上，權力果然不一般，為了滿足太上皇，一道命令下去，要底下的臣子在驪邑這地方，按照太上皇居住的豐縣街道、屋舍等，依照格式一比一來建造新城，稱作「新豐城」。事後，並把豐縣的老百姓全搬遷過來。一到新豐城，不僅老百姓可以很快找到自己的家，就連他們所養的牲畜也自己能認得回家的路，由此可見，新豐城的建造，仿照舊城的樣貌實在太像了，就因生活環境的一切都恢復了，所以太上皇也因此十分開心，不再沉悶了。

　　這件事告訴了我們三個基本的道理，第一個是「孝順」的方式，必須符合被孝順的人的喜好，而不是子女自己想當然爾的一廂情願想法；第二個是「方法」的重要，用對方法了，自然就可以減少不必要浪費的時間，同時可以很快收到預期的效果；第三個是「山寨」的運用，山寨不一定不好，但為謀取私人利益而折損他人權益的模仿是應杜絕的，因為盜取別人的智慧財產權是不道

德的。但若是不違反他人的利益，同時可以造福所有的人，那麼「山寨」又何妨？而這山寨的概念，就在我們的學習上來說，不就是站在他人已有的發現（理論啊或材料……）上，利用這些當基礎，進行更進一步的研究，這樣我們就可以省去摸索的時間，同時可以解決問題，進而開創更美好的未來。所以學識是站在自己和他人現有的基礎上，一步步累積而來，舊的一點一滴的積累，那麼久了就成新創的養份了！

11

苦學致知的賈逵

東漢的賈逵，在他五歲的時候就嶄露了聰慧過人的資質。他的姐姐嫁給了一位名叫韓瑤的人。可惜的是過門許久未能為夫家生個一男半女，最終不幸被休了，無奈之下，只好回娘家居住，平素貞潔守德、不願改嫁的節操，頗為鄰里稱讚。當時弟弟賈逵才五歲，姊姊於是就將弟弟當成自己的兒子一般的教養著。

賈家附近有學堂，經常傳出學生們誦讀經書的聲音，賈家因為窮困繳不起學費，所以姊姊便抱著賈逵在學堂的籬笆外聽那琅琅的讀書聲，而這位小小年紀的賈逵卻一點也不吵不鬧，就這麼靜靜的聽著，姊姊對於弟弟如此乖巧的表現也感到十分安慰。

賈逵十歲時，已經能夠將六經一字不漏的背誦出來，姊姊很是驚訝，就問弟弟：「我們家這麼貧窮，也沒請過老師上門來教你唸書，你是怎麼知道天下有『三墳五典』這樣的古書，而且還能夠一字不漏的背誦下來呢？」賈逵說：「姊姊還記得以前常常抱著我，在學堂的籬笆邊外聽學堂內的學生們讀書這件事嗎？我就是在那時暗暗記誦下這些典籍的內容。而之所以能夠一字不漏的記下，是因為我將庭院中桑樹的樹皮剝下來當成紙，然後將聽來的內容寫在桑樹皮上，桑樹皮不夠用，就寫到了門窗或是屏風上，遇到

不會寫的字就去問學堂中的學生們，就這樣一邊背誦一邊記錄，時間一久，就都記起來了啊！」

　　賈逵就這樣一邊暗誦、一邊記錄，又過了一年之後，整個里巷到處都可以看到他抄寫的經文，不僅如此，他也完全通曉這些經書典籍，看到的人都說：「真是自古以來，天下無雙啊！」因此賈逵的名聲就這樣傳了出去，人們紛紛慕名登門求學，有的還不遠千里而來，也有年長的人背著或抱著兒孫站在賈家門旁聽著裡頭賈逵講解經文的內容，希望自家的兒孫能見賢思齊。賈逵對於來求學的人，也一律親口傳授經文。

　　古人拜師求學要送給老師「束脩」，也就是我們今天說的學費，按照禮儀，是用長條狀的乾肉當成學費交給老師。但賈逵並不拘泥於這樣的禮節，只要是學生們拿來的都可以充當學費，因此買不起乾肉的貧苦人家，就用自己收成的穀麥粟米等農作物當成學費。因此沒多久，賈家的糧食便堆滿了整個穀倉。於是就有人這麼說：「賈逵獲取穀物財富，都不是靠出力勤於耕種所得到的，而是靠著他勤於講授經典的一張嘴所得，這樣也能收穫這麼多的穀物，這不就等於是用舌頭去耕種一樣嗎？」

王嘉《拾遺記》卷六

　　賈逵年五歲，明惠過人，其姊韓瑤之婦，嫁瑤無嗣而歸居焉，亦以貞明見稱。聞鄰中讀書，旦夕抱逵隔籬而聽之。逵靜聽不言，姊以為喜。

　　至年十歲，乃暗誦六經。姊謂逵曰：「吾家貧困，未嘗有教者入門。汝安知天下有「三墳」、「五典」，而誦無遺句邪？」逵曰：「憶昔姊抱逵於籬間，聽鄰家讀書，今萬不遺一。」乃剝庭中桑皮以為牒，或題於扉屏，且誦且記。期年，經文通遍。於閭里每有觀者，稱云：「振古無倫。」門徒來學，不遠萬里，或襁負子孫，舍於門側，皆口授經文。贈獻者積粟盈倉。或云：「賈逵非力耕所得，誦經口倦，世所謂『舌耕』也。」

作者簡介

　　王嘉（生年不詳～西元390年），字子年，隴西安陽（今甘肅渭源）人。根據《晉書・藝術傳》的記載，說他做人滑稽，喜歡說笑話，相當聰明，能未卜先知，但長相醜陋而不喜歡和世人相處。

　　剛開始是隱居在東陽谷，在懸崖鑿洞穴居，雖然如此，但聞

〔苦學致知的賈逵〕

你們家小逵真是聰明又勤奮。

我讓我兒子有空多來向他請教。

少年時期賈逵

賈先生，可否請教您幾個問題？

青年時期賈逵

老師，您不收學費沒關係嗎？

無妨，有志學的心，比什麼都重要。

風而至拜爲弟子的人仍有好幾百人，弟子們也都跟著鑿洞穴來居住。後來他離開眾弟子，來到長安，偷偷隱居在終南山，但仍被弟子發現，一行人又再度跟隨他學習。太元十一年（西元386年），姚萇來到長安，逼迫王嘉追隨他，就因他有未卜先知的能力，所以姚萇每次有重大事情要決定，總會先向王嘉請教。最後就因王嘉說了不受姚萇喜歡的話，最終被他給殺害了。

王嘉的作品有《牽三歌》和《拾遺記》（一名《王子年拾遺記》）。《拾遺記》原書十九卷，但因戰亂，多數亡佚，後來在南朝梁蕭綺蒐羅掇拾下，將所收集到的資料，改編爲十卷，也就是今天所見的本子。

文詞客棧

三墳五典：在這裡是泛指古書典籍。「三墳五典」一詞最早見於《左傳·昭公十二年》記載楚靈王稱讚左史倚相：「是良史也，子善視之，是能讀《三墳》、《五典》、《八索》、《九丘》。」晉代杜預〈注〉：「皆古書名。」《尚書·序》稱：「伏羲、神農、黃帝之書，謂之《三墳》，言

大道也；少昊、顓頊、高辛（嚳）、唐（堯）、虞（舜）之書，謂之《五典》。」而東漢鄭玄說「三墳五典」就是「三皇五帝之書」，綜上所說，「三墳」就是三皇之書，而「五典」就是五帝之書了。

剝庭中桑皮：「桑皮」就是桑樹皮。古代一般人家，為繳付給官府的稅收，有時是要繳交一定量的蠶絲的，所以在古代，幾乎家家戶戶都會種桑養蠶，因此「桑」樹就成為很普遍的一個樹種，也難怪賈逵會用隨手可得的桑樹皮當紙來寫了。又古代的建築和家具一般都是木製品，而樹種中，老祖先發現「梓」樹的樹幹最結實，最適合用來製作房舍和家具，所以「梓」樹也就成為另一種普遍的民家樹。就因養蠶要用「桑」，而製作房舍家具要用「梓」，所以家家戶戶都種這兩種樹，以至於一個聚落最多的樹就是「桑」、「梓」，所以「桑梓」最後就成為聚落的代稱。今天民眾送給民意代表的匾額，最常見的就是「造福桑梓」，用「桑梓」的原因也就在這了。

小故事大道理

　　一個人的成就很難說，老祖先說「牛有料，人無料」就反映出各人隨著他的興趣及機運的轉化，未來是很難以預料的這個道理。所以賈逵年紀還小時，家裡雖然貧窮，但姊姊每天帶著他到

附近的學堂外，聽著學堂先生及學生琅琅的讀書聲，自己也慢慢地一句一句地背誦下來，等到文字識得多了，就一句句地寫在所剝下來的桑樹皮或者是屏風上，如此刻苦自學，使得他更加地珍惜、認真。就因家貧，求學不容易，所以賈逵對於有隔牆求知的機會，更是勤懇努力，絲毫不敢懈怠。

反觀當時學堂內的學生，真正努力向上，終獲得好成就或名聲的，又有幾個？誰知道呢？所以老祖先有那麼一句話：「若將容易得，便作等閒看。」意思是有些東西如果很容易就得到了，那麼就會把它看的很一般、很平凡，而不會加以珍惜。譬如路邊的石頭，每一顆都有上萬年的歷史，但有沒有人會在馬路上撿石頭回家？不會！太多了，多到刺眼，若有人「好心」把石頭丟到你家裡，你還會生氣的撿起來把它丟出去哩！為何會這樣？太多、平凡，到處都是！所以輕鬆就可獲得的，就不會特別去重視、珍惜。

一個家庭中的子女，對於父母的關愛嘮叨不也是如此看待？而電視上常可見富二代不把錢當錢看，日擲斗金、刷卡、血拼到貧血也不在乎，反正「沒血」了，父母就會再「輸血」。更有的父

母，就因為疼愛，直接給孩子無限卡，即使刷到地老天荒也都無所謂……，你說這樣的孩子，怎會看重錢呢？就因為太容易得到了，所以也就不知珍惜！你說這樣的孩子那會有心學習向上？不會！工作都賺不了這麼多錢，學習做什麼？靠爸靠媽不就得了！

所以老天讓我們面臨困境，是要磨練我們、成就我們，讓我們有機會體驗、思考、學習、解決難題，如此跨過種種困境，身經百戰，對於未來的不如意，也就比較容易迎刃而解。所以大受歷代人們稱讚的孔子，就曾說「吾少也賤，故多能鄙事」，意思是說，他小時候很窮困，所以為了生活，他會做很多低賤的工作。當然這些都會成為他日後成長的養份；而孟子不也說「天將降大任於斯人也，必先苦其心志，勞其筋骨，餓其體膚，空乏其身，行拂亂其所為，所以動心忍性，增益其所不能」，說的也正是這個道理。

所以賈逵固然有他的天份，但若不是生長在那般困苦的家庭，或許也就不會這般刻苦自勵了。不僅如此，他小時雖已嶄露頭角，但他不以此自傲而仍力學不怠，這也是他成功的原因，否則如果像王安石所寫〈傷仲永〉的主角，那就只能說「小時小小，大未必佳了！」所以當你在人生的學習路上遇到了困境，那應該感謝老

天所給予的磨練機會；而如果你是含著金湯匙出生，那就更應該珍惜老天所賜予的恩典了！

12

知其然也要

知其所以然

汝南郡南頓縣（今河南項城縣），有一位勤勞耕作的農夫，名叫張助。有一天張助頂著大太陽在田裏耕種時，撿到了一粒李子的果核，本來想把它帶回去，可一回頭，發現不遠處的老桑樹的樹幹上有個枯洞，在枯洞中又有多年累積下來的土，心想「不如把它種在這裡頭吧」，於是就把李子核種了進去，並且用喝剩的水來澆灌。

經過些時日，李子核發芽了，慢慢地長成樹苗，受到天然的雨水與露水的滋養，倒也長得青翠有勁。後來，有人看見桑樹中竟然長出了李樹苗來，驚奇得很，以爲是神蹟，於是互相轉告，就這樣一傳十、十傳百、百傳千，一下子，消息很快地就傳開來了。

說巧不巧，某天有一個患了眼疾的路人，眼睛實在痛得受不了，就在樹下乘涼歇息時，自言自語地說：「李樹神啊！如果您能治好我的眼病，我就要用一頭小豬來作答謝，拜託讓我的眼睛趕快好起來，拜託！拜託！」

話說回來，他這個眼疾本就是小病，就算不治療也會自己慢慢痊癒的。後來沒幾天，他的眼疾自然而癒了，但他以爲是李樹神的幫忙，於是就把這消息散播了出去，正所謂三人成虎、眾犬吠聲

啊！人云亦云的眾人盲目附和，把原本可以自然而癒的眼疾，說是失明的人重見了光明，因此遠近轟動了起來，四面八方的人都主動匯集到李樹下，在邊上的車馬經常有數千輛之多，而在李樹旁也擺滿了各式祭品，光祭祀用的肉就堆成了像山般高，祭祀的酒也匯聚成了酒河，實在是離譜多多啊。

　　日子飛逝，就這麼過了一年多，栽種李子核的張助從遠方回到家鄉來，看見了這誇張的景象，著實大吃了一驚，並厲顏正色地跟在場的眾人說：「這是什麼跟什麼嘛！這哪有什麼李樹神呢？這不過是我當初種下的李子核罷了。」說完，就拿起斧頭，把桑樹連同李樹一併地砍了，只留下眾人的一陣陣驚嘆聲。

應劭《風俗通義》卷九

原
典

　　汝南南頓張助，於田中種禾，見李核，意欲持去。顧見空桑中有土，因植種，以餘漿灌溉。

　　後人見桑中反覆生李，轉相告語。有病目痛者，息蔭下，言：「李君令我目癒，謝以一豚。」目痛小疾，亦行自愈。眾犬吠聲，因盲者得視，遠近翕赫，其下車騎常數千百，酒肉滂沱。間一歲餘，張助遠出來歸，見之，驚云：「此有何神，乃我所種耳。」因就斫之。

應劭（約西元153年～196年），字仲瑗，汝南郡南頓縣（今河南項城市南頓鎮）人，東漢學者。應劭年輕時非常的好學，博覽多聞。東漢靈帝時（西元168年~188年）被察舉為孝廉，曾擔任蕭縣縣令、御史營令。熹平二年做郎官、六年做汝南主簿，中平六年（西元189年）出任泰山太守，曾大敗黃巾賊三十萬人。興平元年（西元194年），奉曹操命令送曹操父親曹嵩返鄉，只是應劭還沒到達會見地點，而陶謙先到，陶謙卻劫殺了曹嵩，應劭因害怕曹操怪罪，因此投奔袁紹，後來做了袁紹的軍謀校尉，最後在鄴縣過世。著有《漢官儀》、《風俗通》（一作《風俗通義》）、《漢書集解音義》、《春秋斷獄》等書。現在僅存《風俗通》十卷。

文詞客棧

病目痛：「病」，表示程度的嚴重，被某事、症狀所苦的意思。如「病瘺」，是因瘺而苦惱；「病聾」，是因聾而苦惱。所以這裡的「病目痛」，就是因眼睛痛而苦惱的意思。

李君令我目癒：「李君」，是指李樹，用「君」字，是對李樹的敬稱。

眾犬吠聲：本義是一隻狗叫起來，其它狗聽見叫聲也跟著亂叫，主要是用來比喻眾人盲目附和的情況。這種情況在現今的社會非常普遍，譬如你往大街上一站，抬頭看天，當有人問說「在看什麼？」你就說「你看天上那裡好像有一個不明物體」，相信不多久就會聚集一大票人，不僅如此，甚至有的還會幫忙指出不明物體的所在，甚至是移動的情況……。唉呀！現在社會最不缺的事物之一，就是不明究裡的跟著瞎攪和的人，多得是啊！

小故事大道理

學習要「知其然，也要知其所以然啊！」簡單地說，就是知道結果是這樣，但也要知道是為什麼會這樣的原因。這個社會最不缺的就是盲從的人，凡事不經思考、人云亦云；再不缺的就是把巧合當作是警示、是神蹟的人。

欠缺思考又把巧合當作警示或神蹟的人，坦白說真是太多了。打個比方，今天老陳好不容易鼓起勇氣要上牙醫診所，把折騰了半個月之久的蛀牙給拔了，醫生也都安排好了時間。可老陳一開門啊，門旁的樹突然掉下了一截枯樹枝來，老陳這時心想「唉

呀！不祥啊！才要出門就掉枯樹枝，這是在警告啊！今日不宜出門！」就這樣再挨了有十天之久，後來直接送醫院，差點造成蜂窩性組織炎，這不是要命嗎！樹枝枯了，掉下來是正常的，不掉下來才怪咧，這是自然之理，如果說掉下來的枯樹枝能夠逆返地心引力而自己跳接回原來的樹上，那就真是令人啞口無言的神蹟了。

本文桑樹空洞中長出李樹來，這也是常見的啊！野外不多的是樹上長有其它的樹嗎？鳥吃百果，飛到哪下到哪，只要是果實中的種子不易被消化掉，它日都可能長出苗來，所以樹上長有它樹是正常不過的了。只是先是桑樹上長出李樹來，在民智不發達的時代已經是夠嗆的了，再加上一個動不動就許願的患眼疾的人，湊巧又是可自然而癒的疾病，在許願後也果真好了，這下李樹神的神蹟又更嗆了。不過這也還好，最可怕的就是三人成虎眾人之言了，硬是把輕症的眼疾轉說成失明，如此能把失明的人使他再度恢復光明，那不是神蹟是什麼呢？一連串的巧合再加上失真的加油添醋，就成了誇張的神蹟了！

信仰是好事，但過度的盲從而不加思考，那就不好了。所以孔子說：「知之爲知之，不知爲不知，是知也。」又說：「於其所

不知，蓋闕如也。」說的就是「知道的就說知道，不知道的事就說不知道」，不僅如此，孔子還說了：「知其然，也要知其所以然。」所以說，「知道」固然重要，但是「知道爲什麼會如此的原因」，才更是重中之重啊！

13

知不足
才能力爭上游

漢代時，在廣漢郡新都縣（今四川省廣漢市）有一個名叫段翳，字元章的人，他精通經書、術數，懂得利用各種自然現象來判斷吉凶，也能預知未來，雖然擁有這樣超乎常人的特異才幹，但他卻低調地隱居修練著，且不想受到外界過多的打擾。雖然如此，但他的名聲仍不脛而走……。

當時常有來向段翳學習的人，雖然人還沒到，但段翳常有未卜先知的能力，於是可以事先知道他們的姓名。有一次，段翳告訴看守渡口的官吏說：「官爺啊！某一天會有兩個人挑著東西來打聽我的住處，到時麻煩您告訴他們我的所在。」果不其然，到了段翳說的日子，果真像他預知的那樣，真的有兩位挑著擔子的人前來打聽他的住處，說是要拜段翳為師。這真是太神了呀！

在這之前，有一個學生慕名從冀州趕來向段翳學了好幾個年頭，以為自己已經把段翳的所有本事都學得精通透澈了，於是便前來告辭，打算離去，一到段翳跟前，便說：「先生，學生來此向您學習已經有好幾個年頭了，這些年在先生這已學會所有本事，所以打算等會兒就打包回家，望先生多多珍重。」說著說著露出了不捨的情態。聽了這位自以為已經完全學會自己本事的學生的辭別

話，段翳雖心生不捨，但也不強留。臨行時，倒是給學生配了些膏藥，並寫了封信放在竹筒中封好，一併交給了學生，同時交代他說：「這一路上你肯定會碰上緊急事情，一旦遇到了，就打開這竹筒來看看。」學生歸心似箭，也沒多想先生為什麼會如此說，只是連忙道謝，可心裡又有點不踏實——先生的本事我已經學透了，可先生怎麼說我會遇到緊急事而我自個兒卻算不出來呢？雖然納悶，但終究在這猶疑躊躇中上路了。

當這學生來到葭萌縣（今四川省昭化縣東南方的葭萌關）的白水江邊，他的僕人就和別人爭搶著船要渡河，在爭搶中，被管渡口的官吏在排解過程中不小心打破了頭，一時血流如注。事出緊急，當下學生也不知該如何處理，不過就在這當頭，學生才悠悠忽想起先生臨別時給的竹筒，一逕打開竹筒，發現裡頭有封信，上面寫著：「到葭萌縣白水江，會和人爭渡，頭被打破，就用筒內膏藥敷在傷口上吧！」學生這一看，先是驚訝，而後感到十分的慚愧，暗自嘆了口氣，說：「唉呀！實在慚愧啊！我竟然這般的自以為是！」此時學生才知道自己所學的仍遠遠不及先生，於是便打消了回家的念頭，轉身返回段翳處，虛心的從頭認真學習。

原典

常璩《華陽國志》卷十中

段翳，字元章，新都人也。明經術，妙占未來。嘗告大渡津吏曰：「某日當有諸生二人荷擔問翳舍處者，幸為告之。」後竟如其言。又有人從冀州來學積年，自以精究翳術，辭去。翳為简作書，封頭與之，告曰：「有急發之。」至葭萌爭津，吏撾從者頭，諸生發简，简中有書曰：「到葭萌爭津破頭，以膏裹之。」生乃喟然知不及翳，還更精學。

作者簡介

常璩（約西元291年～約361年），字道將，東晉蜀郡江原（今四川成都崇州）人，東晉史學家。

常璩出生於西晉末年。成漢時期，常璩曾擔任成漢李勢時散騎常侍。東晉永和三年（西元347年），晉大將桓溫攻打蜀地，常璩與中書監王嘏等曾勸漢皇帝李勢降晉，所以大將桓溫就任用他做參軍。成漢滅亡後，常璩入晉，無奈當時君主重用中原故族，因此常璩受到了東晉士族的歧視，只好專注在修史，最後寫成《華陽國志》。

段翳先生就住這裡？先生住處怎麼可能這麼平凡呢？

段先生不喜歡張揚，也就我們在地人知道他住哪了。

我聽說先生很有學識，還能預測未來，才特地來拜師的。

久仰先生才氣，希望先生能收我為徒。

既然來了就留下吧。

在開始之前，要先知道占卜不是萬能，凡事仍要虛心謹慎。

多年後～

經過這麼多年，現在我終於學成了，還請先生准我出師。

……好，你去吧！

老師請多珍重。

〔知不足才能力爭上游〕

這是在打架？

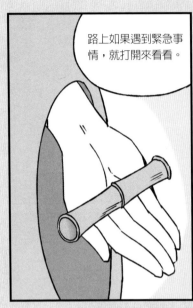

路上如果遇到緊急事情，就打開來看看。

……啊！

慚愧啊！老師真是未卜先知，不知還願不願意再收我為徒。

是藥膏！

對了！老師給的竹筒！

《華陽國志》全書共十二卷，記述中國西南方風土民情，包含山川、歷史、人物、民俗的重要著作，同時也是一部難得的史料記錄，是我國現存比較早的一部地方誌著作。

文詞客棧

妙占未來：「占」，音ㄓㄢ。「占」，是由「卜」和「口」組構而成。「卜」是殷商時，占卜官在龜腹甲鑽鑿細洞，但不穿透而留下一層薄膜，等國君有事要卜問時，則用一根燒紅的木條接近孔洞，那麼薄膜受熱後就會龜裂，而「卜」就是裂痕的形象，國君再根據這裂痕的大小、粗細、方向等來判斷所要問的事情的是非或吉凶。所以「占」是指根據徵兆預測未來的吉凶。而「妙占未來」，是指能神妙地預測未來即將發生的事。

渡津：是指坐船過河的地方。一般又稱「渡口」、「津渡」。

小故事大道理

人的水平是很難用同一把秤去衡量的，同一道問題，回答的不同，有的人就會評論誰說的好、誰說的差，誰說的是、誰說的不

對。有這樣子說法的，通常就是用自己秤的標準來衡量事情，這難免會有失眞的時候。

孔子不有一次要學生說說自己的志向嗎？原文是這樣說的，《論語‧公冶長》：「顏淵、季路侍。子曰：『盍各言爾志？』子路曰：『願車馬衣裘，與朋友共。敝之而無憾。』顏淵曰：『願無伐善，無施勞。』子路曰：『願聞子之志。』子曰：『老者安之，朋友信之，少者懷之。』」簡單的說，大意是這樣的：有一天顏淵和子路陪侍在老師孔子身邊，孔子就說啦：「何不說說各人未來的願望呢？」子路一聽就搶先發言，說：「我願意把車馬和皮衣跟朋友共用，就算用壞了也不遺憾。」顏淵接著說：「我但願能做到不誇耀優點，也不宣揚自己的功勞。」兩個學生都發言完了，這位我號稱他爲春秋時代的甲級流氓子路，就接口說了：「老師，我們也想聽聽您的願望！」這時，孔子看了看兩位學生，不疾不徐地開口說：「我的願望很簡單，只是希望老人能享受安樂，朋友間能彼此信任，小孩能得到關懷養育。」如此各自說了各自的願望。

可在這之後，有人就說了，孔子說的最好、層次最高，其次是顏淵，最後是子路。但憑心而論，你要一個動不動就奮戟要跟人

幹架的子路說出文謅謅、深具哲理的話，那可比登天還難啊！所以，他能不計較的提供車馬和皮衣跟朋友共享，即使弄壞了也不在乎，這已是他所能說出、也所能做出的最大程度了，所以我個人認為，子路已經說了層次與孔子和顏淵同等級的話來了。這種情況就像是一位擁有千億家產的富豪，捐出了他所有的家產，而這和一位拾荒一輩子，好不容易積攢了十萬塊錢的老人，而這老人最後也捐出了他所有的錢財一樣。雖然一個捐千億，一個只捐十萬，但在我看來，這兩人的層次一樣，完全付出，沒有高下之分。

所以這篇文章中的學生，有的人可能會說，「唉呀！不自量力！」或者是「唉呀！呷無三把蕹菜就想要上西天[1]。」但我想說，這位學生已經在當下做了他最高層次的選擇了。沒有對錯，這種情況就有點類似，常有人偶爾會後悔之前某一時間所做的決定，如選擇高中或大學啦，或者職業啦……，說是「如果當時怎樣怎樣就好了……。」但坦白說，不用追悔！每一個當下所做的決

---

[1] 呷無三把蕹菜就想要上西天：指才吃了一點點空心菜，就想成佛往西方極樂世界去。主要在諷刺不腳踏實地做事，而成天想著要一步登天的人。

定，一定是當時自己心中最好的選擇，所以不要用日後的情況來懊悔之前的決定。不過如果事後對之前的決定有所不滿，而還可以有改進的空間，那就勇敢去改進，就像文中的這一位學生，自認爲已經完全通透了先生的學術、技藝，可到頭發現不是這樣，所以他也懂得反省而再度回去學習，這是好現象，沒什麼好慚愧的，只有知道自己的不足，才能接續進步的方向，也唯有如此才能更上層樓。

14

士別三日，
刮目相看

三國時代，當孫權任用屬下呂蒙，讓他掌權管事的時候，孫權就用朋友的親暱口氣，對年輕時不愛學習的大將呂蒙說：「阿蒙啊！你現在已經當權掌管政事，手握權柄，是我們吳國的一員大將，所以不可以再像以前一樣不努力學習喔！」呂蒙聽了主子孫權的勸勉後，直為自己叫屈，說道：「不是我不讀書學習啊，實在是軍中事務太過繁重，騰不出時間來啊！」說完便暗自竊笑了起來，心想這一番辯解，主子應該不會再嘮叨了才是。可主子孫權也不是不知呂蒙的性子，知道他是存心在為自己的「懶」開脫，可畢竟他現在身居要職，不能不有所長進，以免重要時刻貽誤了軍機，那可就不好了。所以也由不得呂蒙辯解，索性就用溫煦卻也直白的口吻跟愛將呂蒙說：「阿蒙啊！我要你多讀書，難道是想要你研究儒家經典成為傳授經書的教書匠嗎？那肯定不是！只是你現在身兼要務，所以要你博覽群書、瞭解歷史，從中汲取經驗教訓，增加自己的見識與才智，所謂鑑往知來嘛！你說是不是呢？又你說你軍中的事務非常繁重，事務繁重有誰能比得上我呢？但我還是經常讀書、精進學習，我自認為讀書對我有非常大的收穫，所以我也希望你能多多讀書學習，相信對你會有意想不到的好處

的！」聽了主子孫權這一番苦口婆心且符合實情的勸解，呂蒙也不好再躲懶推卻，所以就當面爽快地回應了「主子說的是！」從此他便收拾起「懶」於學習的心態，開始發憤讀書……。

後來魯肅有一次路過潯陽，和呂蒙議論起國家大事，魯肅一時發現呂蒙在言談時，看待事物分析的深度和廣度都有了長足的進步，便非常驚訝地說：「呂兄，以你現在的才幹和謀略，已經不再是以前那位吳縣懵懂無知的阿蒙了啊！」聽了魯肅這麼一番驚奇的話語，呂蒙倒是用一種自信中帶著調侃的口氣說：「魯兄啊！和有抱負有理想的人分開一段日子之後，就必須用新的眼光來看待，魯兄您怎麼認清事物是這麼的遲鈍呢？」就在呂蒙的調侃話語下，兩人相視哈哈大笑了起來……就因這次的交談，魯肅拜見呂蒙的母親，並與呂蒙結為朋友後才離去。

原典 司馬光〈孫權勸學〉

初，權謂呂蒙曰：「卿今當塗掌事，不可不學！」蒙辭以軍中多務。權曰：「孤豈欲卿治經為博士邪！但當涉獵，見往事耳。卿言多務，孰若孤？孤常讀書，自以為大有所益。」蒙乃始就學。

及魯肅過潯陽，與蒙論議，大驚曰：「卿今者才略，非復吳下阿蒙！」蒙曰：「士別三日，即更刮目相待，大兄何見事之晚乎？」肅遂拜蒙母，結友而別。

作者簡介

司馬光（西元1019年～1086年），字君實，號迂叟，世稱涑水先生，陝州夏縣涑水鄉（今山西運城安邑鎮）人，是北宋著名的政治家、文學家和史學家。宋仁宗寶元元年（西元1038年），中進士甲科。宋英宗繼位前任諫議大夫，宋神宗熙寧初，拜翰林學士、御史中丞。北宋熙寧三年（西元1070年），因反對王安石變法，出知永興軍。次年，改任西京御史台，住在洛陽十五年，專門從事《資治通鑒》的編撰，一直到哲宗即位，才回朝廷任職。元豐八年（西元1085年），任尚書左僕射兼門下侍郎，主持朝政，排斥新黨，廢止新法，幾個月後不幸去世，追贈太師，溫國公，諡文正，著作收錄在《司馬文正公集》中。

呂蒙啊！你現在已經是將軍了，有空要多讀書。

不是我不讀，實在是軍中事情太多了。

藉口。還不是懶？

你有我這個做國君的忙嗎？我還不是擠出時間來！

位置越高的人越要多讀，免得什麼都不懂，被下屬看扁了。

好吧，主子說得沒錯。

〔士別三日，刮目相看〕

呂兄，這次來拜訪你，還真是讓人驚訝。

你以前不是討厭讀書嗎？怎麼現在學識這麼淵博了？

我最近可是奮發向上啊，讀書讀到頭都禿了。

魯兄也要知道，士別三日，應該刮目相看才是。

既然如此，以後我就要多來和呂兄交流討論了。

小故事大道理

　　三國時期，吳軍大將呂蒙在年少時不愛讀書，後來聽從主子孫權的勸告，才開始發憤向學地博覽群書，因此學問與才略便有了驚人的進步，這樣的改變，使得一些時日未見的魯肅，再見時對呂蒙的改變爲之嘆服，在此說明了只要肯努力學習，就會進步的道理，從而凸顯了讀書學習的重要。

　　這篇文章傳神地表現了身爲主子的孫權，推心置腹地勸勉呂蒙的用心。作爲吳國國君，他以堅定的語氣「卿今當塗掌事，不可不學！」勉勵屬下呂蒙要多多學習，以應付任內可能須處理的大小事，同時也說明他的要求不是要呂蒙成爲「治經博士」，而是要他多閱覽，能鑑往事而預知未來可能的趨勢，以作爲決策的參考，這種循循善誘的中肯語氣，說明了孫權對待下屬的關愛以及他領導統御的能力。同時他又針對呂蒙以「軍中多務」爲藉口而懶於學習，以自身爲例，現身說法來說服呂蒙，他說：「卿言多務，孰若孤？」這是明擺著的事實，身爲主子的孫權，事務繁多絕對不是一個臣子所能比擬，所以孫權用自己的親身經驗來勸導呂蒙。從整個

對話來看，孫權絲毫沒有以當權者的身份，擺起令人敬畏的架勢來，反倒是以朋友式的親切交流來說服呂蒙，這種以自身經驗為例，且不擺威儀以威嚇下屬的作為，更能令人信服，十足具有長者的風範，這也是十分值得我們學習的地方。

而呂蒙在聽了主子孫權的勸勉後，倒是刻苦自惕、自勵，經過一段時日的勤學後，使呂蒙的言談舉止、分析事物的精闢度都有了長足的進步，所以才引起幾日未見的魯肅一席驚歎的話語：「卿今者才略，非復吳下阿蒙！」由此，可見呂蒙短時間內的進步情況，而呂蒙的回話：「士別三日，即更刮目相待，大兄何見事之晚乎？」則印證了呂蒙對自身進步的肯定，同時也對魯肅的大驚小怪開了一個小玩笑，十足表現出一種悠遊書海後所得到的自信，實實在在地說明只要肯學習，永遠不嫌晚！

所以老祖先有一句俗語說：「牛有料，人無料。」這句俗語的意思是在傳達，牛的未來發展，可以藉由牠的牙齒及骨架比例，看出牠未來是否能成為一隻壯健的牛？是否適合耕田？但是人就無法預測了，誰也抓不準某人未來的成就，一如馬雲，小時在幫人跑腿，現在卻是赫赫有名的企業家；賈伯斯大學都沒畢業，但是全球

使用電腦及手機的人，卻還在享用他公司的發明。這種小時不了了，但大卻絕佳的人物，是很難由他小時看出未來的，而這一切的一切，終歸要努力學習。本文中的呂蒙也正是如此，才能獲得魯肅的讚賞啊！

15

有過則改的許允

許允新婚的妻子，是衛尉卿（魏朝的官職）阮共的女兒、阮德如的妹妹，長相不是差強人意而已，而是再世奇葩，奇醜無比。許允在新婚行完交拜禮之後，就嚇得再也不敢踏進新房，更不用說要理會新娘了，全家上下都為此事十分的憂心著。

就在全家憂慮著時，正巧有一位客人來拜訪許允，新娘知道後，便叫婢女去打聽來者是誰……。經過一番打探，婢女來回報說：「小姐！這位客人聽說名叫桓郎（桓範）。」新娘一聽桓範來了，心裡頭便有了主意，同時也信誓旦旦的說：「這下不用擔心了，這個桓範為人正直，知書達禮，他一定會勸夫婿進來的。」

果不其然，桓範一知道許允不入新房與新娘共處的事，果然規勸許允，說道：「阮家既然會把容貌醜陋的女兒嫁給你，肯定是有一定的想法，你不應以貌取人，實在應該確實體察明白啊！」桓範費了一番唇舌，才說服許允願意再度回新房。

可許允才進新房，只瞥見了新娘一眼，便又立刻想轉身離開。就在他離開前，新娘早料想到若讓他這一走，便再怎麼也不可能進來了，於是就在他轉身時，一把拉住他的後衣襟，說什麼也不放手。許允被這突來的舉動嚇到，同時也為新娘如此不顧女性教

養而生氣，於是便用強硬的口氣說：「放手！婦女應該有四種美德，不知道妳有其中的幾種呢？」這時只聽得新娘用溫婉的口吻說：「夫君，我所缺少的只有容貌而已。可是夫君，讀書人應該有的各種品行，您又有幾種呢？」許允一聽，便理直氣壯地回說：「讀書人應有的德行，我樣樣都有!」話音才落，新娘便接著說：「據我所知，讀書人的各種好品行中，最重要的是德，可是從夫君的表現看來，您愛色重於愛德啊！這樣說來，您怎麼能說讀書人的各種品行樣樣都具備呢？」許允聽了，不覺打了個哆嗦，冷不寒顫的，深深覺得自己的表現正如新娘子所說，因此一時感到羞赧，臉上浮泛出無比的慚愧樣。

從這件事上，許允知道他的妻子有著很厚實的內在，所以便對她另眼看待，而且非常非常地敬重她。

原典

郭澄之 《郭子》

許允婦是阮衛尉女，德如妹，奇醜。交禮竟，允無復入理，家人深以為憂。會允有客至，婦令婢視之，還答曰：「是桓郎。」桓郎者，桓範也。婦云：「無憂，桓必勸入。」桓果語許云：「阮家既嫁醜女與卿，故當有意，卿宜察之。」許便回入內。既見婦，即欲出。婦料其此出無復

入理，便捉裾停之。許因謂曰：「婦有四德，卿有其幾？」
婦曰：「新婦所乏唯容爾。然士有百行，君有幾？」許云：
「皆備。」婦曰：「夫百行以德為首，君好色不好德，何謂
皆備？」允有慚色，逐相敬重。

作者簡介

　　郭澄之〔生卒年不詳，但約西元403年前後在世〕，字仲靜，
太原陽曲（今山西太原）人，出身魏晉南北朝名門士族，是東晉
著名的文學家。郭澄之少年時就具有才思，為人聰敏過人，後來進
入仕途，首任尙書郎，後來又出任南康相。郭澄之擅長於著述，
《隋書・經籍志》記載他的文集十卷，可惜已經亡佚。另外有志
人筆記體小說集《郭子》三卷，主要是敘述魏晉間名士們的言談軼
事，但可惜的是這本書後來也亡佚了。魯迅《古小說鉤沉》中輯錄
有八十多則佚文，約略可見《郭子》這書的梗概。

阮兄，你妹妹不是再幾天就要結婚嗎？怎麼你這麼不開心？

唉，你不懂，就因為她要結婚我才擔心。

我妹樣樣都好，若是不看臉，一定會是很多人的夢中情人。

但若是看臉……唉，她平常出門都要戴面紗，以免嚇到路人。

我和她丈夫許允也略有交情，不如我去勸勸他？

那就拜託你了！

好吧，我會再努力看看！

〔有過則改的許允〕

151

天啊！
還是不行！

我寧願天天
睡書房。

夫君，

我只有容貌
有缺陷，

但美德中您又具
備了多少呢？

聖賢說了解一個
人要先看內涵，

夫君卻只用外貌
來評價我。

……抱歉。你
說的很有道理，
謝謝妳點醒我。

文詞客棧

婦有四德:「四德」,古代婦女所應該具備的四種德行。四德是指「婦德」、「婦言」、「婦容」、「婦功」。德,是指品德;言,是指言談;容,是指儀容;功,是指女紅(針黹、裁縫衣服之類)。

捉裾停之:「裾」,音ㄐㄩ,是指衣服的後襟。「捉裾停之」,是指許允新婚的妻子捉住了許允衣服的後襟,而不讓許允離開洞房的意思。

小故事大道理

　　欣賞「美」的人事物,這是所有人共通的,而「美」更是留下好印象最直接的視覺感受,特別是人際溝通方面,不論內在資質如何,只要外表佳,就能成功吸引目光,享受萬目所注的榮耀感。有研究指出,常看美的東西,會帶來心情愉快,可以延年益壽。也難怪,一般異性間,總喜歡看漂亮的女子或英俊的帥哥了。

　　兩千五百多年前,我們的至聖先師孔子就說過:「吾未見好德如好色者也。」這是發自內心的感嘆,但也是人間實情。畢竟自古以來,能有幾個坐懷不亂的柳下惠呢?所以孔子點出了人性本色的

〔有過則改的許允〕

實狀。只是「色」也得色得有理、有禮啊！個人有一次去看露天車展，哇～萬頭攢動，車是好看，可有些人不是為車而來，而是為車模而至，一台台高級叭啦的照相機、攝影機，直衝著車模閃呀閃的，只要一擺「波斯」，四面八方而至的閃燈就閃得眼睛乍盲，有些更是低到就地想要捕捉特殊的畫面，「色嗎？」「色！」「違法嗎？」「沒啊！」拍攝的有理也有禮啊！但可不是所有的人都是如此，好些是遠觀而不褻玩，純以欣賞美的事物，近看香車賞著美女，在理禮的嚴格規範下，一過賞心悅目之娛罷了。

可許允就沒這般福氣了，一進洞房，看到的就是其貌不揚的醜婦，這可是一輩子的事，不是看一次就結束的展覽。也就因如此，使得他一開始就打了退堂鼓，所幸最後在好友桓範的規勸下再次進房。說遲也快，就在他急於抽腳離開洞房之際，他的妻子一個箭步，以迅雷不及掩耳之勢，縱身抓住了許允的後衣襟，以反求諸己的方式加以開導，最後許允就臣服在他妻子的「德」行及透理無礙的說辭上，不僅如此，還對她禮敬有加。說明了「色」這情態雖是本來就具備，但它不是唯一，一個人能才貌兼具固然是好事，但兩不得兼時，往往「德」能勝「色」，畢竟，人總有色衰之時，而

內在的涵養會因學習與識見而日益增廣加深，因此內蘊會增，那種由內而散發出來的美才是眞正吸引人的美，這樣的美才是永不褪「色」的。

16

精實學習的曹元理

在漢代有一位研究算術已經到了神人境界的人，就算是用我們現在的電腦也沒辦法精準到他的地步，真是可怕加三級喲！這個人是誰呢？這個人就是鼎鼎有名的曹元理曹大師。

曹元理是漢成帝時玄菟（約當是現在的韓國咸鏡道）人，有一次他去拜訪老朋友陳廣漢。廣漢知道他是個精通算術的神人，於是就說道：「元理啊！你來的正好，我有兩個圓形穀倉，裡頭存放了許多的米，可是卻忘了石數，你替我計算計算好嗎？」你猜怎麼著？曹元理本就是對算術如癡如狂的人，一聽老友如此說，當下便拿起吃飯用的筷子，前前後後量了東邊穀倉十多圈後，就計算出穀物的數量來，並且信心十足的說道：「廣漢啊！你東邊的這個穀倉有七百四十九石二升七合的米。」說完，又興致沖沖的拿起筷子，又前前後後量了西邊穀倉十多圈後，說道：「你西邊的穀倉有六百九十七石八斗的米。」陳廣漢聽完，也不疑有他，就派人將穀物的數量寫上，並把它貼在穀倉門上。後來開倉放米，發現西邊的這個穀倉出了六百九十七石七斗九升的米，同時發現穀倉中有一隻老鼠，大約有一升那麼大，合起來就正好是曹元理計算的數量，分毫不差呀！而東邊的穀倉則是不差毫釐。

第二年，曹元理路過陳廣漢府宅，陳廣漢就把拿出穀倉時所量的米石數量仔細地跟曹元理說：「元理啊！你真是神算啊！東邊的穀倉你是分毫不差，而西邊的穀數只少了一升，不過這穀倉中有一隻約一升左右的老鼠，所以合起來也真是你算的數量，真神呀你！真是令人佩服啊！」怎知話音才落，曹元理卻頓有所覺似的用手拍擊著床說：「唉呀！對哦！我當時怎麼就沒想到會有老鼠吃米呢？真是太丟人了，太丟人了啊！實在不如把臉皮割下來扔掉算了！」陳廣漢聽後不覺哈哈大笑起來，於是派人取來了美酒和鹿肉乾，請曹元理喝喝酒，放鬆放鬆……。

原典

葛洪《西京雜記》卷四

元理嘗從其友人陳廣漢，廣漢曰：「吾有二囷米，忘其石數，子為計之。」元理以食箸十餘轉，曰：「東囷七百四十九石二升七合。」又十餘轉，曰：「西囷六百九十七石八斗。」遂大署囷門。後出米，西囷六百九十七石七斗九升，中有一鼠，大堪一升；東囷不差圭合。元理後歲復過廣漢，廣漢以米數告之，元理以手擊床曰：「遂不知鼠之殊米，不如剝面皮矣！」廣漢為之取酒，鹿脯數片。

擔心什麼，我這不是來了嗎。我可是神算大師曹元理啊！

算出來了。

太謝謝了，曹大師你是我的救星！

隔年。

老曹啊，開倉後我算了算去年的米，

跟你的結果只差一升。

而那一升居然是隻大老鼠占了位置，加起來就分毫不差了！

慚愧啊，居然忘了會有老鼠吃米，我還有進步空間呢。

〔精實學習的曹元理〕

161

　　葛洪（西元283年~363年〔一說343年〕），字稚川，自號抱朴子，人稱葛仙翁，是丹陽句容（今江蘇）人。他從十六歲起就閱覽《孝經》、《論語》、《易經》等儒家經典，又特別喜愛神仙導引相關的書籍，是東晉的陰陽家、醫藥學家、煉丹家、博物學家，同時也是當時非常著名的道教人士。在中國哲學史、醫藥學史以及科學史上具有很高的地位。他曾受封為關內侯，後來隱居在羅浮山煉丹，著有《抱朴子》、《神仙傳》、《肘後備急方》等書。

文詞客棧

囷：音ㄐㄩㄣ，是古代一種圓形的穀倉。東漢時代的許慎編有一本字典，名叫《說文解字》，這本書中對「囷」的解釋是「廩之圜者」。「圜」就是「圓」。「廩」其實是個累增字，也就是原本僅有一個簡單的字形，但後來古人在這字形上添加部件上去，其實它最早就類似我們鄉下曾有過的古亭畚，小篆寫作「亼」，現在楷書寫作「亩」，後來增加部件「禾」而成為「稟」，以表

明是放穀物的，再後來又增加表示房子的部件「广」而變成「廩」，說白了，它就是圓形的穀倉，類似早期的古亭畚。

石、升、合：這三種都是古代計算容量的單位。而「石」，音ㄉㄢˋ，不唸作ㄕˊ喔；「合」，音ㄍㄜˇ，不唸作ㄏㄜˊ喔。

小故事大道理

　　學道有先後，術業有專攻，而漢代的曹元理就是在數學計算方面，已經到了爐火純青或者說是已經到了神人級境界的人。

　　我們現在的學習，總是老師教什麼，我們就學什麼，真正能運用頭腦進行思考的人，坦白說已經不多，多的是為了「分數」死背一堆可能很少會運用上的知識，或者是培養出只會考取高分，但對生活卻無法實質運用出來的人，以至於造成社會上多的是高知識（學歷）的份子，但對生活卻是一竅不通。試想，你家裡的燈泡或燈管壞了，是找水電工來修？還是你自己去賣場買回來換呢？若是自己換，要買燈泡，是要買多大接頭的？如E27、E14、E12、或……；若要買燈管，是要買幾燭光的？如何確認？又或者當馬桶的水一直漏不停，你要如何把水關掉？要用什麼工具？從哪

裡關？又或者你的手掌有多大？張開手掌後，大姆指至小指的距離是多少公分？而大姆指至無名指的距離又是多少公分？其實我們周遭就有非常多可利用的東西，只是我們都忽略了，因為學校不教這些，學校大多教如何拿取高分？如何猜題？如何答題……。但曹元理就不是這樣子，他隨手拿起手邊的筷子，就可以快速輕易的算出穀倉中穀物的數量，而且幾乎是毫釐不差，雖然他計算的數量少了一升，但穀倉中那隻大約一升的老鼠正填補了所缺的數量。

穀倉中究竟會有多少隻老鼠？任誰也無法猜想得到，但曹元理知道有那麼一隻老鼠後，他還自覺沒臉見人，也或許是自我解嘲，但也就是對學問如此錙銖必較、自我要求且精益求精，所以才能成為一代能人。

因此，學習是為了讓生活更便利，能適時的解決生活上所遇到的問題，如此才是學習的真正目的，而不是單單為了分數而逼迫自己成為不知變通或不知如何運用所學的人喔！學習的過程偶爾會發現一些不足或缺點，但只要針對它加以補充或改進，必能真正享受學用合一的樂趣，而未來也勢必能再更上層樓。

17

善於引導的樂羊子妻

住在河南郡，有一位樂羊子的妻子，不知道是那戶人家的女兒，生性知節守份，勤勉持家。

有一天，樂羊子在路上撿到一塊別人遺失的金子，「哇～金子吔！」便喜滋滋的要把金子拿回家給妻子看，心想妻子一看到這天上掉下來的禮物，肯定會非常高興，樂羊子就這麼預想著妻子的反應……。可是當妻子看到先生撿回來一塊金子卻如此欣喜的表現，讓她覺得所託非人，一時難過地說：「我聽說有志氣的人，不喝名爲『盜泉』的水，雖說喝這水沒什麼不可以，但就因它的名字是『盜泉』，所以有志氣的人，即使口很渴了也不會去喝；而廉潔方正的人，不會接受他人傲慢近於侮辱後所施捨的食物，即使他已經餓到快不行了。對於僅僅因爲名稱或者是不尊重的招呼，有志氣和廉潔的人都不會接受。至於撿到別人不小心遺失的東西，而把它佔爲己有以致玷污了自己品格的事，那就更不用說了！」樂羊子聽了妻子的話後，原本欣幸的心不覺沈了下來，同時感到十分的慚愧，於是就把金子遠遠地丟到野外，並心想著要好好充實、提升自己的才學和品行，之後就告別家人，出遠門拜師求學去了。

遠行求學的樂羊子，在一年後突然不告而回到家中，妻子一

見，先是一愣，接著長跪（古人席地而坐，跪時挺起上半身、腰伸直，以表示敬意），問他回來的緣由。樂羊子說：「其實也沒什麼事，只是自己一個人在外久了，心中非常想念妳們，所以就回來看看，消解一下想念的心，所以這趟回來，實在沒有別的事。」妻子聽了丈夫中道輟學的說法後，難過中夾著複雜的氣忿，就拿起刀來，快步地走到織布機前，苦口婆心地勸勉自己的丈夫說：「這些絲織品都是從蠶繭中而來，又在織布機上織成。是由一根絲一根絲慢慢地積累起來，才能達到一寸長，而後再一寸一寸不間斷地積累，才能織成丈、織成匹。現在如果割斷了這些正在織著的絲織品，那麼就會喪失織成匹布、織成衣服的機會，而這樣也就荒廢了之前所耗費的寶貴時光。我的丈夫啊，你此番遠行求學，就必須要積累學問，應當每天都努力學到自己不懂的東西，好用來成就自己的學業以及積儲清高的美德。如果中途就回來了，那和現在切斷這織布機上的絲織品又有什麼不同呢？」說著說著，臉上盡是浮泛出無奈傷感的神色來。樂羊子一聽，深深地被妻子的話所感動，於是再度外出求學，這一去就是七年，中途不曾再回來過，終於刻苦地完成了自己的學業。

范曄《後漢書・列女傳》（節選）

　　河南樂羊子之妻者，不知何氏之女也。羊子嘗行路，得遺金一餅，還以與妻，妻曰：「妾聞志士不飲盜泉之水，廉者不受嗟來之食，況拾遺求利，以汙其行乎！」羊子大慚，乃捐金於野，而遠尋師學。一年來歸，妻跪問其故。羊子曰：「久行懷思，無它異也。」妻乃引刀趨機而言曰：「此織生自蠶繭，成於機杼，一絲而累，以至於寸，累寸不已，遂成丈匹。今若斷斯織也，則捐失成功，稽廢時日。夫子積學，當日知其所亡，以就懿德。若中道而歸，何異斷斯織乎？」羊子感其言，復還終業，遂七年不反。

作者簡介

　　范曄（西元398年～445年），字蔚宗，祖籍順陽（今河南省淅川），山陰（今浙江紹興）人。官至左衛將軍，太子詹事，是南朝宋有名的政治家、歷史學家。宋文帝元嘉九年（西元432年），范曄因為「左遷宣城太守，不得志，乃刪眾家《後漢書》為一家之作。」開始撰寫《後漢書》。到了元嘉二十二年（西元445年），前後共寫成了「十紀」，「八十列傳」。原本計劃要寫的

〔善於引導的樂羊子妻〕

夫君？！
突然回家，
是發生了什
麼事嗎？

我太想妳了，
所以雖然學業沒有
完成，還是想回家
看看。

我這匹布織了
好幾個月，如
今再也沒有完
成的一天了。

求學與織布一樣，
如果中途放棄，

是永遠不會有成果
的啊！

「十志」，可惜還不及完成就被以謀反罪殺害了。現在我們所看到《後漢書》中的「八志」，是在北宋眞宗時，有人從司馬彪的《續漢書》中迻錄出來補進去的。

范曄墓位於河南省淅川縣老縣城（今老城鎮）南（已被丹江口水庫淹沒），共有九座墓塚，世稱爲「范氏九塚」。

文詞客棧

得遺金一餅：「餅」，是指鑄成餅狀的金塊。以往稱銀元爲「餅金」，也有稱爲「餅銀」的。這裡的「得遺金一餅」，是指撿到別人遺失的一塊餅狀的金塊。

不飲盜泉之水：「盜泉」，地名，在現在山東省泗水縣東北。「不飲盜泉之水」，相傳孔子曾因地名「盜泉」於禮不順的緣故，所以路過該地，雖然口渴了也不喝當地的水，由此可見孔子爲人正直的一面。

嗟來之食：是指用不尊敬的態度，招呼人來吃東西的意思。這事發生在春秋時代，有一次，齊國鬧了饑荒，黔敖就在路旁設食救度窮人，但因爲他的態度不佳而遭到餓漢拒絕的故事。之後便用來指侮辱性或不懷好意的施捨。

捐金於野：「捐」，是拋棄、捨棄的意思。這裡的「捐金於野」，是指樂羊子把撿到的那一塊餅金，丟到野外去的意思。

妻跪問其故：這裡的「跪」是指「長跪」，這種跪法就像我們現在的跪姿，只是大腿和小腿要呈九十度角。古人通常席地而坐，而「長跪」就是在跪坐（類似日本女子在榻榻米上的坐姿）的情況下，挺起上半身、腰伸直，以表示敬意的一種方式。

小故事大道理

　　每個人都有他獨特的習性和嗜好，而這些習性和嗜好如果是好的，那就還好，但如果是不好的呢？要是有人能適時的提點糾正，同時自己也能虛心受教，那麼成長是指日可待的。如果不能，那就枉然了。

　　這篇文章，通過兩個小故事，除了說明做人必須具備高尚的品德，與求學必須有堅忍不拔的精神外，更體現了樂羊子妻善於引導、循循善誘的智慧。一步一步的依情說理，使樂羊子修正先前的過錯，一步步往正確的路途上去，透露了及時的機會教育，與適時引譬勸導的重要性。

首先是樂羊子妻對於先生撿回來的金子，不只不收外，甚至以一種無奈且難過的態度，藉機引用「志士不飲盜泉之水，廉者不受嗟來之食」的典故來說服丈夫，再進一步指出丈夫的「況拾遺求利，以汙其行乎！」如此因貪一塊金子的小利而失去做人品格的大節，使得樂羊子深深感到慚愧，因而知錯並立志外出，遠尋名師學習。

　　接著是樂羊子出外訪師學習，也才短短一年的時光，他就因忍受不了對家人的思念而突然跑了回來。古代的交通不便，這一來一回就不知浪費了多少寶貴的時間，因此對於樂羊子中輟學業而回來的行為，樂羊子妻心中滿是氣忿，一氣之下便拿起刀子走向織布機，苦口婆心的說自己織布必須日積月累，才能織出一丈、一匹布來的切身體會，如果現在一刀把正在織的布匹給切斷了，那之前做的所有工夫也就都白白浪費了。用這親身經驗，同時也是樂羊子知悉的織布概念，來說明求學也必須如此專心致志，持之以恆才能有所成就的道理，因此用「若中道而歸，何異斷斯織乎！」來作結。經過妻子這一番透澈的說理，使得樂羊子深深地受到感動，於是再度外出求學，這一去七年，終於完成了學業才回來。

樂羊子的這兩次舉措，都被妻子適時適切的舉例說明所感動，在在說明了學習的路途上，純粹理論的傳授是可以的，但若是能適時的施以機會教育，同時使用恰當的例子說明引導，那麼對方的感受以及覺知就會更深刻且容易理解，這也就是古人「引喻取譬」的用意。所以當有人苦口婆心的對我們說教時，我們可得用心體會、深刻反省才行喔。

18

預設破鏡

求重圓

南北朝時，南朝最後一個王朝陳朝，傳到陳後主時，因沉迷酒色而不理國政，因此沒多久就被隋朝給消滅了。

陳後主有一位妹妹，封為樂昌公主，才華和容貌天下無雙，堪稱當代第一。後來嫁給太子舍人徐德言為妻。當隋文帝楊堅率兵攻打陳國，眼看陳國軍隊節節敗退，徐德言自知陳朝大勢已去，兵士已經無力再固守城池，德言擔心夫妻在混亂中離散，於是就對妻子說：「愛妻啊！憑藉妳的才華和容貌，國家滅亡後，肯定會被納入權豪之家，如果那樣，我們就永遠沒有再見的機會了。如果我們倆的情緣還沒有斷絕，或許將來還有見面的一天，所以我們應該要有一件用來作為憑證的信物。」德言話才說完，就把一面銅鏡一分為二，一半交給妻子，另一半則自己收存，並跟她約好：「如果將來兩人不幸分散了，以後每逢正月十五日，我們就都拿著這半面銅鏡到京城街上去賣，以便找到彼此。」

陳朝滅亡後，樂昌公主果然被納入隋朝重臣楊素家中。憑藉著她的才貌，很快便深得楊素的寵愛，極盡呵護，雖然如此，但因她極度地思念丈夫，時常雙眉深鎖、悶悶不樂。每到正月十五日那天，就差親信拿著那半面銅鏡到市街上兜售。

　　　　　　　　　　經典閱讀──讀書趣

徐德言自從和妻子分散後，四處顛沛流離，居無定所，對於離散的妻子更是日夜縈心，思念不已。歷經了千辛萬苦，好不容易才勉強來到京城。到了正月十五日那天，如約在街上尋找賣破鏡的人。不久後，他聽到街市上傳言有一個賣半面銅鏡的老人，標著高價要賣的消息，德言悲心一慟，心想這個賣破鏡的老人莫非就是妻子派來的，於是就尋訪路人，找到了賣鏡的老人。當一見老人，當下看了他手中的鏡子，就是當時給妻子的信物，為免引起旁人的注意，德言便將老人帶往自己臨時的住處，並向他說明原委，同時拿出自己收藏的另一半鏡子來和它合上。兩半鏡密合無間，正是一個鏡子的兩半啊！於是便問了那位老人，果然是受妻子囑託而出來賣破鏡尋人的，看到這，德言心中不禁一陣悲愴，於是在那鏡子上題了一首詩：「鏡與人俱去，鏡歸人不歸；無復嫦娥影，空留明月輝。」（大意是說「鏡子和人都離我而去，如今鏡子回來了而人卻未歸，鏡子上已映不出嫦娥的倩影，只能反射出一片皎潔的月光」）。

　　老僕人拿著破鏡回去交還給公主，公主看了鏡上的題詩，淚流不止，傷痛欲絕，好多餐都無心吃飯。楊素知道實情後，可憐他們

的遭遇，同時也被他倆的真情所感動，於是派人找來了徐德言，把公主交還給他，同時贈予豐厚的財物，臨去前並設酒宴為徐德言和陳氏餞行。席間楊素請公主寫一首詩抒發情感，公主細心思索了一下，寫了一首五言詩：「今日何遷次，新官對舊官；笑啼俱不敢，方驗作人難。」（意思是「今天是什麼特殊的日子啊！新丈夫面對著舊丈夫，我要哭也不是，笑也不是，這才知道作人的艱難啊！」）把她的處境和心情，描述得淋漓盡致啊！

徐德言和公主告別楊素後，便一同返回江南居住，在那過著幸福美滿的生活，一直到終老……。

原典

孟棨《本事詩》

陳太子舍人徐德言之妻，後主叔寶之妹，封樂昌公主，才色冠絕。德言為太子舍人，方屬時亂，恐不相保，謂其妻曰：「以君之才容，國亡必入權豪之家，斯永絕矣。倘情緣未斷，猶冀相見，宜有以信之。」乃破一鏡，各執其半。約曰：「他日必以正月望，賣於都市。我當在，即以是日訪之。」

及陳亡，其妻果入越公楊素之家，寵嬖殊厚。德言流離辛苦，僅能至京。遂於正月望，訪於都市。有蒼頭賣半鏡者，大高其價，人皆笑之。德言直引至其居，予食，具言其

故，出半鏡以合之。乃題詩曰：「鏡與人俱去，鏡歸人不歸。無復嫦娥影，空留明月輝。」

　　陳氏得詩，涕泣不食。素知之，愴然改容。即召德言，還其妻，仍厚遺之。……遂與德言歸江南，竟以終老。

作者簡介

　　孟棨（生卒年、籍貫不詳），字初中，一作棨，唐朝人。僖宗乾符二年（西元875年）進士，鳳翔節度使令狐綯聘他做推官；廣明年間黃巢兵進入長安，僖宗為了避禍逃到四川，在這段兵荒馬亂的時間裡，孟棨曾擔任司勛郎中，光啓二年正月又爆發了朱玫之變，僖宗再次出逃到鳳翔，孟棨可能就在此變故中失去官位，其它事蹟也就不得而知了。編著有《本事詩》，記錄了許多唐朝詩人的逸事和詩歌故事。

夫君，城要破了，再不走要來不及了。

是我們國家不夠強盛，大勢已去啊⋯⋯

愛妻，妳是公主，又才貌雙全，我擔心妳會被人強搶了去。

今日分離，也不知何時能再見？

以後每個月的十五號，妳讓人拿著破鏡到市集叫賣。

妳等我，我一定會去找妳的。

陳朝亡國後，樂昌公主果然被許給了隋朝重臣。

文詞客棧

太子舍人：職官名，主要掌管太子的文牘事務。

正月望：「望」，是指滿月的意思，而滿月一般是在農曆每月的十五日。

因此這裡的「正月望」，便是指農曆正月十五日，也就是元宵節這一天。

蒼頭：漢代擔任僕役的人都必須用青巾作頭飾，所以稱僕役為「蒼頭」。

一直到清代都還有這樣的用法，如《老殘遊記・第九回》：「蒼頭送上茶

來，是兩個舊瓷茶碗，淡綠色的茶。」

小故事大道理

　　學習的重點，除了是學這個學理或技能可以運用在生活上，若

還可以用所學的原理、知識、概念等等為基礎，更進一步的預知未

來可能發生的事而預先準備，那麼這樣的學習就十足成功了。

　　本文的故事是發生在南北朝末年，當時的北周丞相楊堅，殺了

靜帝自立為皇帝後，隨即建立了隋朝，接著便興兵南下，大舉攻打

南朝的陳國。眼看國難當前，但當時的陳後主卻只知飲酒作樂，日

日宴飲無度，那怕隋朝的大軍已經快兵臨城下了，他仍一如以往，

坐享皇帝的榮寵而沒有一絲絲的警醒。當時的太子舍人徐德言眼看

皇帝及朝內外大臣的作爲，預知國家即將滅亡，心想，到時國中混亂，夫妻必然會在戰亂中分離，同時也預知以他妻子的才藝和容貌，未來肯定會被權貴人家俘虜，作爲妾室。因此爲了將來兩人能有機會找到彼此，他便設想把一面銅鏡分成兩半，夫妻各保存一半，同時約定每年的元宵節拿著破鏡到京城的市場去賣，當作是兩人未來找到彼此的信物。

而事情的發展也果眞如徐德言所預測的那樣，最終在楊素的成全下，他們夫妻倆才得以喜劇收場。

這則「破鏡重圓」的故事，雖說的是用來比喻夫妻離散或感情決裂後重新團圓合好。但這「破鏡」及「重圓」過程的預先設想也是夫妻能再度團圓的重點。所以一個眞正有效的學習，不僅僅是學習當下的所得，更重要的是學習後，可以類化，一如古人強調學習要「舉一隅而以三隅反」，甚至可以的話，能以此爲基礎而預知可能的未來，並進而預先準備因應之道，這才是學習的眞正用意，也才是學習的眞正價値。

19

不知

好過胡扯

北齊有一位非常知名的滑稽大師，名叫石動筩，他說笑話以及耍嘴皮的工夫，實在無人能敵。

有一天他在國學聽見博士講課時說：「孔子的高才弟子有七十二個人。」事後，石動筩就尋講學博士開心的問說：「請問先生，這七十二位有名的弟子，不知有幾個是成年的？而有幾個是未成年的？」這位講學博士聽後，思索了一會，心想自己平生看書無數，但實在沒有哪一本書有這方面的記載啊！於是便清清喉嗓，咳、咳幾聲後，一本正經的回答說：「關於這個問題，就我所閱覽過的書籍，還沒看到有相關的文獻記載。」石動筩聽後，就喜孜孜的說：「先生您讀書，怎麼能不知道孔子的成名弟子中，成年的有三十個人？而未成年的有四十二個人呢？」這位講學博士一聽，又思索了好一陣子，實在想不起哪裡有相關的記錄啊！於是就帶著疑惑的口吻請教說：「兄台！實在抱歉，不知您是根據哪篇文獻知道的呢？」石動筩一見講學博士已經上鉤了，於是就又油嘴地說：「《論語》呀！《論語》不說了嘛？『冠者五六人』，五乘以六不就是三十？『童子六七人』，六乘以七不也就是四十二？所以兩者加起來不正好是七十二個人嗎？」在座的人聽了石動筩這番硬拗的

耍嘴皮後，都不覺哈哈大笑了起來。這位講學博士雖然知道自己被耍了，但也只能吹鬍子乾瞪眼，因為就文字表面意義來說，石動箭的說法確實也勉強能自圓其說，所以一時之間，這位講學博士也不知該如何應答而只能沈默無言了。

原典

侯白《啓顔録》

動箭嘗於國學中看博士，論難云：「孔子弟子達者有七十二人。」動箭因問曰：「達者七十二人，幾人已著冠？幾人未著冠？」博士曰：「經傳無文。」動箭曰：「先生讀書，豈合不解孔子弟子著冠者有三十人？未著冠者有四十二人？」博士曰：「據何文以知之？」動箭曰：「《論語》云：『冠者五六人』，五六三十也；『童子六七人』，六七四十二也，豈非七十二人？」坐中大笑，博士無以對。

作者簡介

侯白（生卒年不詳），字君素，魏郡臨漳（今河北臨漳縣）人，隋朝學者。侯白從小好學而反應敏捷，個性詼諧滑稽，尤其擅長辯論。考中秀才，曾官拜儒林郎。在隋高祖楊堅時，頗具名聲，因此令他在秘書監編修國史，著有《旌異記》十五卷。

〔不知好過胡扯〕

漫畫經典

孔子門下有七十二弟子……

何事嬉笑？

先生，我有疑！

請問孔門弟子中，成年、未成年的各有幾個？

這……典籍中並無記載。

我知道呀！

孔門中成年的有三十人，未成年有四十二人。

是哪一本典籍
紀錄的呢？

《論語》呀！
《論語》說：「冠
者五六人，童子
六七人」。

五乘六是三十，
六乘七是四十二。

加起來不正是
七十二人嗎！

你……！
知之為知之，
不知為不知！

好，下次考試
你就這樣寫！

〔不知好過胡扯〕

文詞客棧

著冠：「冠」，是指帽子，但這裡的帽子是有特定意涵的，根據《儀禮‧士冠禮》記載，大意是這樣：男子在二十歲時行成年禮時，由父親在庭院中要登堂的階梯上，連續為他戴三種不同材質的帽子，每戴一種就要為他說些吉祥話……，行過這儀式就算成年了，所以本文的「著冠」是指成年的意思喔。

冠者五六人：動箒說冠者五六人，五六三十，其實是對，但也不對。對的地方是周代真的就已經有乘法了，在《呂氏春秋》一書中就記載一則春秋時代宋景公的故事，其中有「星三徙舍，一舍七星，三七二十一」的文句，這是古代乘法的文獻記載。但本文的「冠者五六人」，是指五、六個人的意思，並不是乘法。所以說動箒說五六三十，就乘法的歷史來說，說得通，但若是就本文而言，那就不對了。

小故事大道理

　　孔子說：「知之為知之，不知為不知，是知也。」又說：「於其所不知，蓋闕如也。」這正是一種重視學問、認真看待學問的態度。

　　從講學博士和石動箒的對話，我們只能說「秀才遇到兵，有理

說不清」，石動算盡是耍嘴皮，但說得好像也成理，所以身為飽學之士的博士，一時之間也不知如何回應。其實遇到這種事情，最好的方法是用類似的例子來反駁。譬如清代獨逸窩退士《笑笑錄》中有一篇〈告荒〉，就有類似的荒謬說法。原文是這樣的：「有告荒者，官問麥收若干？曰：『三分』；又問棉花若干？曰：『二分』；又問稻收若干？曰：『二分。』官怒曰：『有七分年歲，尚捏稱荒耶？』對曰：『某活一百幾十歲矣！實未見如此奇荒。』官問之，曰：『某年七十餘，長子四十餘，次子三十餘，合而算之，有一百幾十歲。』哄堂大笑。」這是典型的以子之矛，攻子之盾，官爺如果不能認同這告荒老人的「某活一百幾十歲矣」的說法，那不正代表他「七分年歲」的邏輯也是有問題的嗎？

然而如果知道石動算本身就是愛好說笑的人，那麼也就不會太在意他的邏輯，因此當作一個笑談也就可以了。

不過古代還真有這麼一派頗會耍嘴皮的門派，就叫做「名家」，代表人物是鄒衍、公孫龍等人，他們最出名的學說是「白馬非馬」、「雞三足」、「堅白石」、「卵有毛」。對於他們的理論學說，說的也都好像在理，可是在別人聽來又覺得不妥。譬如

「白馬非馬」，名家這派人說「白馬不是馬」，今天若問你「白馬是不是馬？」你肯定回答「是馬啊！」可是名家說白馬不是馬！為什麼呢？他們說「白馬」是白色的馬，只是各種顏色馬中的一種顏色，而「馬」可以是黑馬、棕馬、白馬、灰馬……是各種顏色的馬的總名稱，所以說，單指一種顏色的「白馬」是不能等同於各種顏色的馬的總名稱「馬」，從這個角度來看，「說的對不對？」「對啊！」但「符不符合平時人際的溝通習慣？」「不符合啊！」這種情況就像問你說「男人是不是人？」「當然是人啊！」但若從名家的理論來說「男人就不是人了」，因為「人」除了「男人」之外，還有「女人」，所以單單「男人」是不能等同包含「男人女人」的「人」的。說白了，有些詭辯，所以這派人盡是在嘴皮上逞威風，因此孟子曾很不客氣的批評這些人，說他們「能折人之口，不能服人之心」，簡單的說，就是能在嘴皮上佔上風，但卻不能讓人心服口服。

　　今天這篇文章，石動箏就類似名家一樣的概念，所以一時之間，在這位飽學博士回過神來之前，也只能被石動箏耍得一愣一愣的了。

20

百萬琴砸天下知

唐朝陳子昂，是四川射洪縣人，在京師住了十年，卻是文名不傳，沒沒無聞，這讓他很是鬱悶啊！為了讓大家認識他的才學，於是就設想了一個出人意料的揚名計畫……。

當時在都城東市場上有一位賣胡琴的古董商人，沿街叫賣一把古琴，「來喲！來看呀！人生難得一見，絕無僅有的古琴，只須要百萬錢啊！來喲！來看喲……。」這位商人使勁地叫賣著。而在街頭上每天也都有富商高官前來看琴，只是每一個都嫌太貴而下不了手。有一天，陳子昂路過，看到這景況，心想成名的機會來了，於是乎從圍觀的人群中竄出，拉高音量對僕人說：「你現在就回去，用馬車拉一千串錢來買下這把琴。」僕人一聽，當下應諾，便一溜煙地趕回拉錢去了。陳子昂的這個舉動，讓周圍的人都感到十分訝異，同時也紛紛議論：「這人是誰啊？這麼有錢！」於是人群中有人問道：「你買它要幹什麼？這天價啊！太貴了！」子昂回答說：「唉呀！這你有所不知，我生平就喜歡彈琴，更擅長這種樂器。」

有些好事的人就抓住機會問了：「能露一手給我們大夥兒聽聽嗎？長這麼大還沒聽過這麼貴的琴聲呢！」這不正是子昂想要的

嗎？於是他就順著這人的話，馬上接著說：「各位有情大眾啊！我就住在附近的宣陽里，請各位明日到敝處聽琴，並將設酒宴款待各位，不僅僅希望你們過來之外，同時也希望你們邀請名人一起來捧場，這將是我陳某的榮幸啊！」

第二天一早，前往赴宴的竟有一百多人，而且都是當時很有名望的人士。陳子昂也沒唬弄大家，大擺筵席，備辦各式山珍海味，讓來客深深覺得不虛此行。在酒宴完畢後，子昂煞有其事地捧著古琴站了起來，面對賓客說：「我是四川陳子昂，離家來到京師已經十年了，寫有詩文一百卷，但是至今仍無人賞識，還是庸碌無名，不為人所知啊！這種樂器是俗民的玩藝兒，我怎會把它放在眼裡呢？」話才說完，竟當眾舉起琴，將它摔得粉碎，就在眾人此起彼落的驚訝聲中，子昂馬上派人將他所寫的詩文擺滿桌上，一一贈送給來賓，請大家批評指教。

果然，散會之後，在一天之內，陳子昂的名聲便不脛而走，譽滿京城。他在政治上也立時受到了重視，當時女皇武則天的侄子武攸宜被封為建安王，馬上邀請子昂做他的「記室」（秘書），不久後，又被武則天升任為負責進諫、舉薦的「拾遺」官。

李亢《獨異志》

陳子昂，蜀射洪人。十年居京師，不為人知。時東市有賣胡琴者，其價百萬。日有豪貴傳視，無辨者。子昂突出於眾，謂左右，可輦千緡市之。眾咸驚，問曰：「何用之？」答曰：「余善此樂。」

或有好事者曰：「可得一聞乎？」答曰：「余居宣陽里。」指其第處，並具有酒，明日專候。不唯眾君子榮顧，且各宜邀召聞名者齊赴，乃幸遇也。」

來晨，集者凡百餘人，皆當時重譽之士。子昂大張宴席，具珍羞。食畢，起捧胡琴，當前語曰：「蜀人陳子昂有文百軸，馳走京轂，碌碌塵土，不為人所知。此樂，賤工之役，豈愚留心哉！」遂舉而棄之。昇文軸兩案，遍贈會者。會既散，一日之內，聲華溢都。時武攸宜為建安王，闢為記室。後拜拾遺。

作者簡介

李亢（生卒年不詳），《唐書·藝文志》、《崇文總目》、《通志·藝文略》都作李元；《新唐書·藝文志》、《宋史·藝文志》都作李亢；明代的抄本又有題作「明州刺史賜紫金魚袋李冗纂」，所以又作李冗。作者究竟是李亢、李元、李冗，目前尚不可

〔百萬琴砸天下知〕

宴會當日……

多謝各位捧場，我知道大家

今日都是為了古琴而來。

但今日，我卻有比琴更珍貴的東西。

我的文章比這琴還有價值，相信各位一定不會失望！

真是千古難得一見的文章阿！

知。所寫《獨異志》原本有十卷，後來散佚，現在僅存三卷。主要是記載神話或世上的奇聞軼事，「雜錄古事，亦及唐代瑣聞，大抵語怪者居多」，從天地開闢以來一直到當時的經籍，可聽到或見到的神仙鬼怪，篇幅長短不拘，大多加以採錄。

文詞客棧

可輦千緡市之：「輦」，音ㄋㄧㄢˇ，從字形上看，在「車」的前面有兩個成年男子（夫），是指由人拉車的意思，所以古代用人力來挽行或推拉的車子，都可以叫做「輦」；「緡」，音ㄇㄧㄣˊ，是古時候串錢的繩子，因此稱一串錢為「一緡」；「市」，在這裡做動詞，是「購買」的意思。所以「可輦千緡市之」，是指陳子昂叫他的僕人回去「拉一千串錢來買這把古琴」。

闢為記室：「記室」，職官名，主要是主掌書記，就類似今天的文書官。

後拜拾遺：「拾遺」，職官名，是唐代的諫官名，武則天時才設置左右拾遺，主要職掌是諷諫國君對於施政的好壞，以規諫補救國君言行的缺失。所以這種官不好當哦！主要還是要看國君的氣度，畢竟指出別人的缺失，對方

心裡肯定不好受，更何況對象是國君，所以搞不好就要掉人頭了，因此這種官的下場一般都非常非常的不好！

小故事大道理

　　任何行業都有該行業的處理原則，簡單來說，「方法」是極其重要的事，方法對了，可以省卻走許多不必要的冤枉路而直上捷徑，一路奔向目的地，不僅省時，也可減少不必要的開銷。但也不是說方法對了，就完全可以不費吹灰之力，自己總也得有相當的付出才行，畢竟天下沒有白吃的午餐，一分耕耘、一分收穫，得種瓜才能得瓜啊！即使你要幹壞事，老祖先也說了，「偷雞也要蝕把米」、「捨不得孩子套不著狼」。所以方法重要，但也得要有相對的付出。

　　陳子昂在京城待了十年，文名一直無法提升，最主要的原因是沒有名人加持。你看自古至今有多少位貧苦困頓、三餐不繼而仍勤讀好學的讀書人，你能記得幾位？「顏回」大概是其中的佼佼者吧！「為何大家都會記得他？」「孔子讚揚啊！」你看《論語·雍也》：「一簞食，一瓢飲，在陋巷。人不堪其憂，回也不改其

樂，賢哉，回也！」因為有孔子的加持，所以顏回的知名度大大地提升，「伯夷」和「叔齊」兩兄弟不也如此？受到司馬遷的眷顧，把他們寫到《史記》裡，而且還是放到〈列傳〉的第一篇，這是多大的尊榮啊！而這兩兄弟也就靠著司馬遷的史筆，一路榮耀到今，但仔細想想，這歷史洪流中有多少位伯夷叔齊被湮沒而聲名不聞呢？

但若沒有名人加持，那可該怎麼辦呢？那就得靠自己找突破口了。文中這位子昂兄就是個不世之才，明明自己才學極高，而詩文也寫得極其漂亮，可怎麼十年青春付京城，就是看不見一絲聲名聞啊！所以在沒有名人可以灌頂加持下，就來個大擺筵席聚眾，接著怒摔百萬琴博名聲，趁眾人感嘆之際再說出原委，拿出自己平時的作品以饗諸人，因此話題性製造了，效果也產生了，大家都知道一位摔琴的陳子昂，可喜的是子昂分送的作品也是真有相當的水平，「陳子昂」也就因這話題而順利成名。

從這件事情看來，要成功得有幾個要件：第一、找名人加持；第二、製造話題性。但光靠這兩種是還不夠的，最最最基本的是，自己一定要有相當的實力，以這為基礎，前兩項才有可能發揮

效用，否則拿來的是爛泥，名人再如何加持、話題性再如何勁爆還是沒用的，多少的政二代、藝二代、企二代、富二代……失敗的例子還少嗎？所以不管如何，成功的基本關鍵在自己的實力。實力有了，再有名人加持以及足夠的話題性，那衝天之日，肯定指日可待了。

21

臺上一分鐘，

臺下十年功

清乾隆年間，安徽省旌德縣近城的地方，出現了兇猛的老虎，不時騷擾百姓與過往的旅客。城內常有出城辦事的百姓被老虎給吃了，而來縣城買賣或路過的客商，也有為趕路而選在天矇矇亮時起程，不幸而被老虎所傷的情況，就因老虎為患，使得此地人心惶惶⋯⋯。

就在此時，乾隆皇帝的侍讀學仕紀曉嵐，他有一個同族哥哥叫紀中涵當了此地的知縣，他曾多次招徠當地的獵戶和勇猛人士來搜捕老虎，可是仍不能解決虎患，反倒是使更多人平白送入虎口，一時之間，全城人為此惶惶不安，平時常用的日常必需品，如米啦、油呀、菜啦、鹽的⋯⋯等等已經短缺，所以必須趕快想想法子才是。

就在廣招良策之際，有一個當地人感嘆地說：「唉！看來不去聘請世代傳承以捕捉老虎為生，住在徽州的唐打獵，是不能消弭這場禍患了！」聽了這話，紀中涵顯露出一臉狐疑，並馬上問說：「唐打獵？他是什麼樣的人啊？他真有這本事？」這人說道：「那肯定沒問題！」說著說著就講了唐打獵的歷史，他說：「大約是在明代吧，徽州有一個姓唐的人家，兒子才結婚不久，有一天進

山工作，卻不幸被老虎給吃了。那時他的妻子已經懷有身孕，實在是痛不欲生啊！爲了肚中的孩子，勉強挨過了喪夫之痛，但對老虎的恨可沒有減少半分，反倒是與日而增，等孩子生下來後，她就抱著小孩向老天禱告，並且帶著嚴厲決絕的口氣說：『你將來長大後，如果不能殺老虎，就不是我的兒子！就是連你後代的子孫如果也不能殺老虎，那也都不能算是我的子孫！』後來這孩子長大了，爲了殺虎便四處尋求名師，終於練就了獵虎的絕殺密技。從那時起，唐氏家族世世代代都以擅長獵虎絕技而聞名於世。」

紀中涵聽後，二話不說，便馬上派人帶著豐厚的禮物，快馬加鞭地往唐打獵住處飛奔而去。過了幾天，派去的人帶回來了好消息，說：「唐氏家族已經挑選了兩位技藝高超的人來，再不久就到了。」眾人一聽，心中頓時放下了虎患的大石。可幾天後，殺虎的人來了，眾人一看，不禁大失所望，眾人一陣狐疑、氣忿的說：「搞什麼啊！這不是在耍我們嗎？」原來唐家派來的兩個人，一個是身形瘦小且頭髮鬍子都全白了的，就連說話都還不時咯咯作咳的一個老頭兒，好像一碰就要暈死過去的模樣；而另一個是大約十六七歲的男孩，看上去也沒什麼能力似的。大夥失望之餘，著

實難掩心中被耍弄的怒氣。紀中涵一看到兩人，心中雖是多有不滿，但基於來者是客，也不好意思太過份，所以也意興闌珊地派人準備款待兩人的食物。這老頭畢竟見過世面，一看到紀中涵的表情，就知道紀中涵的不滿，於是就走上前去，半跪著說道：「大人！您先不必忙！我聽說那老虎就在離城不到五里的地方，我們兩人這就去把牠給捉了，回來再吃飯不遲！」

　　紀知縣一聽，便派衙役領著他們前去尋找老虎。不一會兒，一行人來到了山谷口，衙役就不敢再往前走了，老翁一看這些人的害怕，不禁微微一笑，說：「有我在呢，你們還怕什麼啊！」衙役只好硬著頭皮再往前走，才來到峽谷深處，涼風徐徐吹來，這時跟來的一行人已經渾身打著哆嗦，說什麼也不敢再向前走了。老翁瞧了瞧四周的環境，細心地聽了動物的叫聲，便對大男孩說：「看這情形，這頭畜生應該還在睡覺，你把牠叫醒吧！」只見男孩應了一聲「好！」就張口模擬老虎的呼嘯聲「唬～唬～」，不一會兒，樹林中發出沙沙的枝葉摩擦聲，一頭緩步而出的老虎果然被吸引了過來。眾人一看，紛紛嚇得跟蹌地後退，而這男孩也後退十多步，然後遠遠地看著，只留下老翁一身孱弱地站在原地，面對著老

虎。老虎看了看老人，刻意放緩了步伐，然後猛不其然地向老翁直撲而來！只見老翁手裡拿著一把長約二十公分、寬約十公分的小斧頭，氣定神閒地向著撲來的老虎，直奮起右臂，站著不動。待老虎騰空一躍，老翁趁勢側頭一避，才眨眼間的工夫，老虎越過頭頂，一落地就已經是血流一片，只看了牠顫抖了幾下，就斷氣了。眾人看了這景象，一齊跑了上來，掂量著老虎，這才發現，這頭老虎從下巴、肚子到尾巴，有著一條長長的刀痕，老早就被老翁的斧頭給劈成了兩半！

待回去時，紀中涵聽了眾人的描述，深覺不可思議。這時老翁也才說了自己的訓練情況，他自信滿滿地說：「你們啊！別看我長得瘦小，我為了練這一招殺虎的技術，光是臂力就練了十年，而練眼睛的專注度也花了十年的時間。即使有人用掃帚在我的眼前揮過，我的眼睛是眨也不會眨一下的。而當我的胳膊平舉時，就是讓壯漢攀懸著身體，我的胳膊也能一動都不動。」就在眾人的點頭讚嘆聲中，紀中涵厚賜了優渥的禮物，禮敬地送這一老一少回去。

紀昀〈獵戶殺虎〉

　　族兄中涵知旌德縣時，近城有虎暴，傷獵戶數人，不能捕。邑人請曰：「非聘徽州唐打獵，不能除此患也。」（休寧戴東原曰：明代有唐某，甫新婚而戕於虎，其婦後生一子，祝之曰：「爾不能殺虎，非我子也。後世子孫，如不能殺虎，亦皆非我子孫也。」故唐氏世世能捕虎。）乃遣吏持幣往，歸報唐氏選藝至精者二人，行且至。至則一老翁，鬚髮皓然，時咯咯作嗽，一童子十六七耳，大失望，姑命具食。老翁察中涵意不滿，半跪啓曰：「聞此虎距城不五里，先往捕之，賜食未晚也。」遂命役導往。役至谷口，不敢行。老翁哂曰：「我在，爾尚畏耶？」入谷將半，老翁顧童子曰：「此畜似尚睡，汝呼之醒。」童子作虎嘯聲，果自林中出，徑搏老翁，老翁手一短柄斧，縱八九寸，橫半之，奮臂屹立，虎撲至，側首讓之，虎自頂上躍過，已血流仆地。視之，自頷下至尾閭，皆觸斧裂矣。乃厚贈遣之。老翁自言練臂十年，練目十年，其目以毛帚掃之，不瞬，其臂使壯夫攀之，懸身下縋不能動。

作者簡介

　　紀昀（西元1724年～1805年），字曉嵐，一字春帆，晚號石雲，又號觀奕道人、孤石老人、河間才子，清朝直隸獻縣（今河

漫畫經典

清乾隆皇帝年間，安徽省出現了一隻兇猛的老虎，不僅危害生民，為了獵捕牠，更搭進了無數士兵和勇士的性命。

到底怎樣才能除掉老虎。

大人，何不去請唐氏家族呢？

聽說唐家世代都培養獵虎人，也許可以請他們試試。

大人，獵虎世家的人到了。

這兩人真的能行嗎？不過既然他們敢答應，應該有把握吧。

知縣大人居然派老人小孩來領隊除虎……

〔臺上一分鐘，臺下十年功〕

北獻縣）人，是乾隆年間的進士，更是當時著名的學者、文學家和政治人物。官到禮部尚書、協辦大學士。晚年寫作《閱微草堂筆記》，全書著重宣傳封建道德及因果報應，文字質樸簡明，涉獵面廣，多方面表現了作者的學問和見解，有《紀文達公遺集》傳世，而現在可見的《四庫全書》，就是他擔任總纂修官完成的，死後諡號文達。

文詞客棧

乃遣吏持幣往：「幣」，是古代用來贈送賓客的禮物，當然這禮物可以是錢財也可以是物品，也可以兩者都有。而到今天，我們常說錢幣錢幣，都會誤以為「幣」就是「錢」的意思，如果這樣理解古代的「幣」，那就不完全了喔。

知旌德縣：這裡的「知」，是地方行政長官的名稱，「知旌德縣」，也就是當旌德縣的長官，用我們現在的話說，就是旌德縣縣長。在宋代時，派任京城的官到地方去擔任行政首長，就稱為權「知」某府或某州或某縣事，到了明清時，就稱縣級的地方行政首長為知縣，而民國後，改知縣為縣知事，簡稱知事，後又改知事為縣長。

小故事大道理

　　世上沒有白吃的午餐，想要有所獲得就得付出相應的努力。常言道「臺上一分鐘，臺下十年功」，看人家輕輕鬆鬆就可以完成的事，好像很容易，但要自己去做相同的事，卻又完全搆不著邊。而古人又說「是故無貴無賤無長無少，道之所存，師之所存也」，簡單的說，就是不論貴賤或年紀，只要誰懂得道理，誰就是我的老師。所以在《論語‧公冶長》中，記載孔子對衛國大夫孔圉的評價時，用「敏而好學，不恥下問」，這「不恥下問」的「下」就包含了年紀輕及身份卑賤的人，在在傳達了「聞道有先後，術業有專攻」的正確認知與謙虛的求知態度來。

　　晚唐有一則一字師的佳話：住在湖南有一位自號衡嶽沙門的詩僧齊己寫了一首〈早梅〉詩，當他寫好後，就拿去向住在江西宜春的詩友鄭谷請教，心想這詩自己已相當滿意，鄭谷應該會給他很好的評價，只是當鄭谷看了詩中的「前村深雪裏，昨夜數枝開」後，便說：「數枝非早也，未若一枝佳。」說完就將「數枝開」改爲「一枝開」。齊己當下聽他這麼一說，深爲佩服，也確實如鄭谷所說的，如果已經有「數枝開」了，怎還會是「早梅」呢？要早

嘛，就是看見剛開的那第一朵梅花，如此用「早梅」這詩題也就較恰當，所以當他聽了鄭谷的話，也著實驚嘆改用「一」字確實更得體，也就因爲這樣，他便稱鄭谷爲「一字師」。像這種因修正自己作品中的「一」個字，就稱他爲老師，可見齊己的胸襟與虛心受教的一面。不論對方的地位高下如何，也不論對方的年紀如何，只要有值得我們學習的，那他就是我們的老師，當然這還得要我們自己能虛心受教，勤勉學習才行。所以一位能充實內在的人，是沒有固定的老師，只要是有某方面的長才，就都值得效法學習。古人說：「聖人無常師。」孔子不也師郯、萇弘、師襄、老聃嗎？根據記載，「郯子之徒，其賢不如孔子。」但孔子說：「三人行，必有我師，擇其善者而從之；其不善者而改之。」身爲弟子的不一定就不如老師，而老師也不一定會比弟子還賢能，畢竟「聞道有先後，術業有專攻」啊！

當本文中的紀中涵看到唐打獵派來捉老虎的是看似弱不禁風的一老一少時，一開始不免就有股輕視的態度，這就患了以貌取人的弊病，直到他知道這兩人順利捕殺老虎後，他才悟出「聞道有先後，術業有專攻」的箇中道理。所以我們可不能「以貌取人」

喔，一來，失了禮貌失了修養；二來若是對方表現出特有長才，而這長才是我們所遠遠不及的，那我們自己就更加難堪了。又文中這位老人說練臂力就練了十年，即使有大漢攀上他的手臂，他也能支撐不墜；而訓練眼力也花費了十年，即使以毛帚在眼前瞬間晃動也不為所動。他這次能在短短幾分鐘就殺死老虎，在在說明了「臺上一分鐘，臺下十年功」的道理。所以想要有所成就，我們就都要認真，踏踏實實地努力學習才行！

國家圖書館出版品預行編目資料

經典閱讀：讀書趣／陳茂仁著. -- 初版.
  -- 臺北市：五南，2019.07
  面； 公分
  ISBN 978-957-763-380-4（平裝）

1.國文科 2.讀本

836   108005085

ZXOT 悅讀中文

經典閱讀——讀書趣

21篇歷代經典好文，打造主題式閱讀素養不漏接

作   者 ─ 陳茂仁

發 行 人 ─ 楊榮川

總 經 理 ─ 楊士清

總 編 輯 ─ 楊秀麗

副總編輯 ─ 黃惠娟

責任編輯 ─ 蔡佳伶、高雅婷

校   對 ─ 潘怡君、賴茵琦

封面設計 ─ 萬亞雰

出 版 者 ─ 五南圖書出版股份有限公司

地   址：106台北市大安區和平東路二段339號4樓

電   話：(02)2705-5066   傳   真：(02)2706-6100

網   址：http://www.wunan.com.tw

電子郵件：wunan@wunan.com.tw

劃撥帳號：01068953

戶   名：五南圖書出版股份有限公司

法律顧問 林勝安律師事務所 林勝安律師

出版日期 2019年7月初版一刷

定   價 新臺幣380元

經典永恆・名著常在

五十週年的獻禮 —— 經典名著文庫

五南，五十年了，半個世紀，人生旅程的一大半，走過來了。

思索著，邁向百年的未來歷程，能為知識界、文化學術界作些什麼？

在速食文化的生態下，有什麼值得讓人雋永品味的？

歷代經典・當今名著，經過時間的洗禮，千錘百鍊，流傳至今，光芒耀人；

不僅使我們能領悟前人的智慧，同時也增深加廣我們思考的深度與視野。

我們決心投入巨資，有計畫的系統梳選，成立「經典名著文庫」，

希望收入古今中外思想性的、充滿睿智與獨見的經典、名著。

這是一項理想性的、永續性的巨大出版工程。

不在意讀者的眾寡，只考慮它的學術價值，力求完整展現先哲思想的軌跡；

為知識界開啟一片智慧之窗，營造一座百花綻放的世界文明公園，

任君遨遊、取菁吸蜜、嘉惠學子！